Two week loan
Benthyciad pythefnos

Please return on or before the due date to avoid overdue charges
*A wnewch chi ddychwelyd ar neu cyn y dyddiad a nodir ar eich llyfr os
gwelwch yn dda, er mwyn osgoi taliadau*

20/4/07

Gertrud Leutenegger, Jahrgang 1948, wurde in Schwyz geboren und ist dort aufgewachsen. 1976 begann sie das Studium der Regie an der Züricher Schauspielakademie und war 1978 Regieassistentin in Hamburg. Gedichte waren ihre ersten Veröffentlichungen. Mit »Vorabend« (1975) und »Ninive« (1977) legte sie vielbeachtete Romane vor. 1978 erhielt sie den »Preis der Klagenfurter Jury« des Ingeborg-Bachmann-Preises, 1979 den »Meersburger Droste-Preis für Schriftstellerinnen«.

Als diese erste Prosaarbeit von Gertrud Leutenegger 1975 erschien, schrieb der *Generalanzeiger*, Bonn: »Es gehört zu den hervorragenden Verdiensten dieses Buches, daß es sich gerade der beiläufigen, längst unbemerkten Kleinigkeiten in einer Weise annimmt, deren fremdartige Schönheit den Leser wo nicht gar verstört, so doch gewiß erstaunt. Die ruhige Sicherheit, mit der diese Erzählerin ihre sprachlichen Mittel einsetzt, verblüfft und begeistert immer wieder.«

Ein junges Mädchen schreitet in Zürich jene Straßen ab, auf denen am nächsten Tag eine Demonstration stattfinden soll. Dieser äußerliche Gang der Geschichte ist nur Anlaß zu poetischen Gängen, zum Aufkeimen und Aufbrechen von Erinnerungen an Früheres, an Kindliches. Es klingt etwas an vom trauerlos hellen Verlust eines inneren Zentrums. Das Dasein findet sich in anderen Personen wieder, in anderen Zuständen, in Erlebnissen ihrer Jungmädchenzeit auf dem Land, beim Tod des Vaters, bei einem Aufenthalt in England und in Italien.

Durch ihre reiche Phantasie versucht Gertrud Leutenegger, mehr als die Wirklichkeit einer Demonstration zu zeigen, nämlich die Rettung von untergesunkenen geräuschlosen Protesten, von all jenen subtileren Manifestationen, »die unter der flaumig grauen Decke jedes Tages aufzittern«.

Gertrud Leutenegger
Vorabend

Roman

Suhrkamp

Umschlagfoto: Isolde Ohlbaum

suhrkamp taschenbuch 642
Erste Auflage 1980
© Suhrkamp Verlag Frankfurt am Main · Zürich 1975
Suhrkamp Taschenbuch Verlag
Alle Rechte vorbehalten, insbesondere das
des öffentlichen Vortrags, der Übertragung
durch Rundfunk und Fernsehen
sowie der Übersetzung, auch einzelner Teile.
Druck: Ebner Ulm · Printed in Germany
Umschlag nach Entwürfen von
Willy Fleckhaus und Rolf Staudt

VORABEND

So ganz richtig dabeizusein. Eine Demonstration! Denn nur Mitlaufen, das ist es nicht. Da könnte sonst jede Ameise, die zur gleichen Zeit dieselbe Straße entlang krabbelt, sich damit brüsten, sie hätte die gute Sache unterstützt. Oder falls es schief herauskäme, bestürzt erklären: der Rückzug war abgeschnitten. Ameisen laufen auch nicht rückwärts, der kleinste Versuch dazu würde die nervösesten Stockungen hervorrufen. Was für ein Schrecknis, wenn plötzlich etwas stockt. Mitten im Gedränge etwas Stillgelegtes. Doch Ameisen wimmeln blindlings voran, ein bewußtlos wirbelnder schwarzer Sturm, wieder kauerst du als Kind in dem von nassen Farnen beschlagenen Hof, ein schwarzer Streifen von Ameisen läuft die Hausmauer empor. Plötzlich, als hätte dich vorher das Weiße der Mauer geblendet, erschrickst du: sie gehen auf dein Fenster zu. Eine unentwegte Kolonne. Das Fenster in Gefahr. Dort, hinter den Vorhängen mit dem verblichenen Rot, hast du eine Süßigkeit aufgehoben, unzählige Male mit glückshungrigen Fingern betastet, mit vor Verwunderung blanken Augen umkreist. Jetzt aber, diese schwarze wimmelnde Kolonne, sie frißt sich durch die Höhe, sie frißt sich durchs Fenster, sie wird dir zuvorkommen, du mußt ihr vorauseilen, um sie noch aufzu-

7

halten. Hier, von unten her, mit bröckelnden Beschwörungsformeln dich durchs Gewimmel mischen, vielleicht erreichst du noch den Geruch jener Süßigkeit, zwischen dem leise bewegten Rot der Vorhänge, dort wo der Morgen durch die Jalousien sickern wird, was hast du dort im geheimen hinüberretten wollen, woher und wozu

Wie ich abschweife. Wegen diesen Ameisen. Wie lächerlich. Und daß ich bereits in die nächste Straße eingebogen bin, das habe ich nicht einmal bemerkt. Ich bin ein bißchen zerstreut. Das hemmt und beschämt und trägt fort und setzt einen dicht auf den Boden zurück. Alles zugleich. Aber es wird erst morgen demonstriert. Ich dachte, diesmal gehe ich besser schon am Vorabend einmal alle Straßen durch, ich muß mir das zeitig austreiben, mich so durch Straßen verwirren zu lassen. Immer, ich darf das gar nicht laut sagen, wenn direkt über mir Spruchbänder geschwenkt werden und sich die Lautsprecher wie ein prasselndes Hagelwetter entladen, irritiert mich auf einmal ein ungemeines Interesse für die Straße. Fassaden. Die im Neonlicht schwimmenden Gesichter, hin und wieder an eine Scheibe gespült. Rufe in den Durchgängen. In einer erloschenen Häuserzeile ein einzelnes Licht. Da muß jemand wohnen. Mitten in der Stadt. Selbstvergessen hangen die Jalousien um das erleuchtete Fenster. Jalousien. Jalousien wirken oft ältlich. Oder hämisch oder herablassend. Dann wieder blinzeln sie oder überbieten sich in spöttischer Steifheit oder sehen sehr zornig oder verkniffen aus. Selbstvergessen wie diese hier, haben sie etwas sinnend Trauriges. Immer haben Jalousien etwas

Totenhaftes. Nachts, wenn sie sich von den eigenen Händen zögernd bewegt zusammenfügen, lautlos, schwarz im Dunkeln, schließen sie sich wie Sargdeckel über dir. Wenn man sich niederlegt, um zu schlafen, es ist ein ganz helles, leichtsinniges Sterben, noch mit größer werdenden Augen trinkt man das eigene Lachen in sich hinein. Wie man da so die Läden schließt

Jalousien sollten bei Demonstrationen verboten sein. Besonders geschlossene. Die sind einfach eine blanke Provokation. Wie soll man herrlich überzeugt in einen Sprechchor einstimmen, wenn nur dreißig Meter über dem eigenen Kopf geschlossene Jalousien hangen, jeden Ruf abprallend, undurchsichtig, dich in Zweifel stürzend mit ihrem arroganten Unbeteiligtsein, mit diesem kleinen nahen, auf einmal so wichtig werdenden Raum, den sie dir vorenthalten. Diese vorenthaltenen Räume. Schwindelnd unzählige Räume, sie schachteln sich auf hinter der Stadt, wälzen sich in gespenstischer Vermehrung durch die Vororte, wo sie sich akkurat in lärmfeindliche Reihenhäuser gruppieren. Woher haben sie ihre vermeintliche Stummheit. Ihre scheinbare Lenkbarkeit, die uns unterstützt. Noch sind bei ihnen keine Feuersbrünste ausgebrochen, nirgends jähe Stichflammen aus vermummten Fenstern. Und schon wähnen wir sie geordnet in ihren Gesetzlichkeiten, trauen der dünnen Oberfläche. Geduckte Spiegelbilder, in trägen Linien, unterwandern die Reihenhäuser die Ränder der Stadt.

Wie diese Eintönigkeit zum Zerspringen spannt. Nie hat sich mir wie vor dem immer gleichen Rasenstück um die Eingangstüre, dem verkümmerten Geranienstock hinter der Wageneinfahrt, eine im Unbestimmten fast genaue Erwartung so zusammengeschnürt. Daß die Menschen plötzlich kopfüber aus den Dächern springen, in wehenden Hemden brennend quer in der Luft liegen, ihr tägliches Grüngemüse durch die Kamine schleudern, sich Schreie zuwerfen wie platzende Bälle. Diese spukhafte Geometrie, nichts ist so angelegt wie sie, anarchisch zu zerfallen. Hier, nur hier, wo sie nirgends stehen, sehe ich noch in den dumpfen Abendgerüchen die Buchstaben zittern: anarchieistdufte, anarchiadolce, anarchie

Warum erzähle ich das. Gut, daß heute erst der Vortag ist. Morgen darf ich nicht an solche spukhaften Zustände denken. Sie würden, irrende Punkte, in der Luft flimmern und den trotzigen starken Schall der Rufe wie ein Sieb durchlöchern. Das wäre eine ungute Sache. Aber jetzt fallen mir schon wieder die Jalousien ein. Das mag an der Seitengasse hier liegen, die im Schatten zwischen den Häusern verläuft. So sieht es aus, wenn man zum Turmplatz hinaufgeht. Das ist ein kleiner Platz, von Häusern umschlossen. Aber sie erdrücken ihn nicht, sie lehnen sich sogar fast ein wenig zur Seite, um ihn unauffällig zu schützen. Der Platz hat eine ganz leichte Erhöhung. Auch ist noch ein unregelmäßiges Pflaster dort, man möchte am liebsten barfuß darüber laufen, um in den Fußsohlen die Rundungen nachzufühlen. Auf der schon fast wieder abfallenden Seite steht ein Brunnen mit grünlichem Wasser. Es zittert in der Tiefe, man sitzt da, gedankenlos. In einer der hinunterführenden Gassen sieht man große rotbraune Jalousien, fast an den Boden gedrückt. Sie sind immer geschlossen. Es muß ein Kellergeschoß sein. Wann, wie der Schrei daraus losbrach, ist nicht mehr festzustellen. Er überschwemmte in tierischen Stößen den Platz, von allen Seiten her, von oben und unten, er schwoll so an, die Grenze des Erträglichen zerreißend, daß irgendwo benommen eine Türe geöffnet wurde. Unten beim Dörrobstladen quollen die Leute heraus. Dann war es still. Die rotbraunen Jalousien standen offen. Innen erhellten ein paar schwache Glühbirnen ein Brettergerüst, dunkelhaarige Arbeiter hockten herum, einer lag, von Stehenden verdeckt, immer noch zuckend am Boden. Der Starkstrom, verwarf ein Arbeiter wütend die Hände, wer an den gerät, der kommt nicht mehr aus diesem Loch

Irgendwie verliefen sich die Leute nicht. Die rotbraunen Jalousien waren bereits wieder geschlossen. Ob er tot war. Man hat sie versenkt, dachte ich, man hat die Arbeiter wieder ins Kellerloch versenkt. Solche Schreie gehören nicht ans Tageslicht, die zerreißen den gleichförmigen Nachmittag, wiegeln die Luft auf. Stiften Unheil. Bei uns ist doch für alles gesorgt. Solche Schreie muß man schnellstens verschwinden lassen. So etwas Obszönes. Wir sind überhaupt sehr gut im Versenken. Wir haben mustergültige Versenkungsinstitutionen. Die Arbeiter hier. Man könnte meinen, es wären gar keine vorhanden. Tagsüber liegt der Turmplatz geduldig und stumm da, nachts bevölkert er sich mit jungen Freiluftschlafern. Die meisten lehnen den Hauswänden entlang, andere dösen mit den Beinen gegen die Mitte, wieder andere kauern in losen Gruppen. Dünne Rauchbänke liegen in der Luft. Manchmal entzieht sich einem beim Erlöschen eines gegenüberliegenden Zimmerlichtes ein mißtrauisches, schläfrig musterndes Gesicht. Es hat keinen Sinn, jetzt wegzuschauen, es fixiert dich trotzdem, durch verschwommenes Gemurmel, durch den Geruch feuchter Räucherstäbchen hindurch. Das Gesicht verzieht spöttisch die Mundwinkel. Irgend etwas scheint an mir zu fehlen. Eines der wichtigen Indizien der Zugehörigkeit. Wie ich aufstehe, schimmern Scherben matt in den Rinnsalen ausgeschütteten Coca-Colas, die sich in den abfallenden Gassen verlaufen, die nächste Straße schon nicht mehr erreichen. Niemand weiß mehr, wie hier, mitten am Tag, ein Schrei jede Beruhigung erschlug, für einen kurzen, übermächtigen Pulsschlag der Platz aus den Fugen geriet. Alles ertrunken in diesem eintönigen Summen

Diese Versenkungen. Warum haben wir noch keine versenkbaren Fabriken erfunden? Warum keine Verwaltungsräume, die man bodenlos verschwinden läßt, um an unersättlichen Listen und Rechenschaftsberichten zu tippen, nachts noch die Erde durchklopfend, mit stumpf gewordenen Instinkten. Warum haben wir keine versenkbaren Schränke, in die man hineinsteigt, wenn man sich sterben fühlt, und alles ungesehen vorübergeht. Hinter dem Hügel über der Stadt sind Baracken, wo die Fremdarbeiter wohnen. Die kommen mir oft vor wie solche umgelegte, an die Ränder der Stadt, ins Ungesehene abgedrängte Schränke. Gegen sechs Uhr abends kann man die Straße hinaufgehen, die im Bau ist. Rostfarbene Bagger stehen mit vorgeschobenen Mäulern herum, aufmerksam laufe ich zwischen ihnen durch, eingeklemmt einzelne Gräser, fast weiß vom Schutt, auf einem Geröllhang liegen die Baracken. Ich sollte nicht diese dunkelrote Bluse tragen hier. Hinter den Barackenfenstern reihen sich die Gesichter, es scheint sie nichts zu beeindrucken und doch alles zu einer dumpfen Gewalttätigkeit zu reizen. (Man müßte herhalten können.) Ich fühle etwas Lähmendes in den Füßen, ciaòbella, was haben wir für Trostlosigkeiten erfunden. Aus dem Aborthäuschen schwenkt ein Arm eine veilchenblaue Papierrolle, sie schlenkert toll durch die Luft, ein blauer Wirbel, wenn sie jetzt nicht zurückrollt, flattert sie in die Stadt hinunter, durch die offenen Küchenfenster hinein, eine blauflatternde Kriegserklärung, und bleibt über dem dampfenden Milchkaffee schweben: Liebe Bürger, wie fein eure Hände geworden sind, wir lassen eure blonden Frauen schön grüßen, wir wünschen gesegnete Mahlzeit, wir von der grauen Hölle

Haben nicht Sie mich vorhin an der Kreuzung abfangen wollen? (Machen Sie schon vorwärts! Das Signallicht ist längst auf grün. Was haben Sie überhaupt für ein Thema? Was für ein Problem, meine ich. Daß Sie nur herumfummeln, das sieht man Ihnen schon von der Seite an. Den Ton, den Sie haben. Das ist nichts Neues. Alles schon gehört. Werden Sie bitte konkret. Glauben Sie an eine bessere Welt?) Einen Augenblick. Sie haben mich eben gestört. Ich habe den Ehrgeiz, auf einem Fußgängerstreifen immer nur auf die unbemalten Stellen zu treten. Das schöne kräftige Gelb so zwischen den Schritten zu haben. So leuchteten die Quitten zuhause, meine Mutter, als ihr Haar noch ganz schwarz war, beugte sich darüber, über einen Berg von goldgelben Schüsseln. Auf dem Tisch stand ein umgekipptes Taburett, an allen vier Füßen eine leichte Gaze befestigt, durch die der Saft tropfte und von draußen wuchs dunkelgrün der Lorbeerbaum in die Küche. Ach so. Mein Thema wollen Sie haben. Aber das Thema von morgen werden Sie doch wohl wissen? Oder meinen Sie mein persönliches. Schauen Sie mich nicht so an, beinahe hätten Sie deswegen die Straßenbahn übersehen. (Ist sie nicht ein hübscher blauweißer Anachronismus? Ich muß Ihnen gestehen, ich habe gar kein Thema.) Mein Thema ist, daß ich keines habe. Ich kann zum Beispiel auch in einer Gruppe sitzen und unverfroren erklären, ich hätte kein Problem. Für einen Psychologen eine glatte Schikane. Ich habe auch kein besonderes Trauma. Eine völlig uninteressante Konstellation. Ich habe nicht einmal einen fixen Gedanken. Um jeden fixen Gedanken gerinnt die Welt. Ich habe Angst vor den geronnenen, erstarrten Dingen. Sie füllen die Welt auf wie einen Trödlerladen. Sie ist muffig geworden von soviel Abgestandenem. Von soviel eingetrödelter, erstickter Weltgeschichte. Und doch haben die Trödlerläden jetzt nicht mehr das Gespenstische wie gestern. Jetzt nicht mehr, oder wie empfinden Sie das. Wir sind unabhängiger, eindrucksloser, wählerischer geworden. Gestern tratest du ein und eine Klingel schnurrte verloren über dir und schloß dich ab. Heute stehen die Türen offen. In das Innere des Ladens scheint die Straße leer und weiß herein, in durchsichtigen Streifen, ein Luftzug bewegt sie: plötzlich blitzen Formen darin auf, verräterische und kühne, geschweifte und ruhige Härten, pflanzenhaft wachsende Wucherungen, Linien, ganz ebenmäßige. Glanzpunkte. Verfinsterungen. Und du gehst hindurch und wieder auf die Straße hinaus, wissend, und doch in einem fast irren Unberührtsein, Menschen kommen auf dich zu, sekundenlang streift dich ein leichtes Brennen, du suchst nach ungefüllten Gesichtern, die wüßten mit jenen Formen zu kämpfen, mit jenen Kühnheiten und jenem Glanz im schattenhaften Stapelraum alles Gewesenen

Warum gehen Sie so rasch. Müssen Sie ein Problem verdauen. Persönliche Probleme sind wunderlich verschnürte Pakete, in denen man ein vermeintliches Selbst verkauft. Eine Ware, von der man nicht merkt, wie aus ihr Kapital geschlagen wird. Warum wollen Sie mein Thema haben. (Wollen Sie mich erledigen?) Eigene Probleme. Wo sitzen die, wenn wir, durch uns hindurchstoßend, in eine tiefe Ungefülltheit brechen, eine großmächtige Leere, von Krümmungen und Verheißungen umflossen, als wären wir dort, im Verstecktesten, durchsichtig geworden auf die Welt. Als wäre dort, von uns, nichts mehr übrig als nur eine Öffnung, von Herausforderungen durchzittert, tausend eingestreute Felder sind wir, von Fäden durchlaufen, die zueinander gelangen wollen. Dieses Irrlichtern der Fäden, wenn die Zeit stockt, wenn wir ganz Horchen sind und ganz Gewalt

Sie wollen sich verabschieden? Bin ich Ihnen zu wenig witzig? Ja gehen Sie nur. Wir haben jetzt sieben Häuser lang miteinander geredet. Das ist die rechte Kürze, um sich morgen wieder anständig und ohne Scheu zu begegnen. Nichts übertreiben. (Oder sollten Sie mich doch herausreden lassen?) Unvermittelt fällt es mich manchmal an. Ich möchte mich auf ein Geländer setzen und reden. Injemandenhineinreden. Sich wie durch eine Landschaft reden, man bekommt ganz ferne Augen davon. Die Häuser werden locker um einen herum, werden voller Risse, die Dinge

stehen auf und fluchen oder rücken ab wie fremde Bewohner. Sich so auszutoben, als wäre die
Zeit auseinandergefallen, es hat etwas Unsinniges
und etwas ganz Gesammeltes. Ein bißchen betreten ist man am nächsten Tag, ein wachsames
Rührmichnichtan, es ist Schonzeit jetzt, da darf
man stumm und mit Flügeln auf Halbmast herumlaufen. Warum sollte es nicht so sein? Ich lebe
nicht gerne, wo man sich nicht austoben und wo
man nicht ganz unsichtbar sein kann

Hier stand früher die Taubstummenanstalt.
Jetzt hat man sie aus dem Zentrum hinausver-
legt. Schade. Wenn hier Demonstrationen vor-
beizogen, dachte ich immer, hoffentlich kommen sie nun herunter und machen mit. Niemand
könnte so gut demonstrieren wie Taubstumme.
Es wäre ein langer lautloser Zug, und die Spruchbänder darüber hätten etwas Unerschütterliches,
etwas Unabänderliches. Ihre Finger, ihre Augen,
ihre Münder würden sich untereinander auf ge-
heime Weise verständigen, ihr ganzer Körper
wäre eine Bewegung, eine geschlossene Macht,
wer könnte ihr widerstehen, wer müßte nicht
vor ihr blitzschnell sein Leben überdenken, als
gälte es alles zu ändern. Mit einer ganzen Straßenbahn voll Taubstummer bin ich einmal auf
den Milchbuck gefahren. Ich ertappte mich, wie
ich mich mit geweiteten Augen diesen gestikulie-
renden Händen, den eindringlichen Blicken rings
um mich entziehen wollte. Diese Gesichter, die
sich plötzlich grundlos in betrübte Falten legten,

oder zu einem krampfartigen Lachen verzogen, ich fühlte mich völlig wehrlos. Mit unsicheren Knien stieg ich aus. Als ich wieder zu jemandem einen Satz sagte, hörte ich mir betroffen zu. Ich ging auf den nördlichen Stadtabhang hinaus und blieb den ganzen Abend mit Freunden zusammen in einer niedrigen Küche, die früher Italienern gehört hatte, wie fast gefährlich schön war es, dazusitzen, das Fett brutzeln zu hören, das Stimmengewirr, das Lachen, das den Wänden nach hinunterrann. Wir verfielen auf die Idee, Omeletten zu backen. Wir eilten umher im Dampf, hochwichtige Köche, wir bedauerten sehr, nicht entsprechende weiße steife Mützen zu haben. Andächtig verfolgten wir, wie sich das Eigelb kräuselte, dann Jetzt! und die Pfannen wurden geschwungen und die Omeletten flogen umher, es war wie zwischen kleinen sausenden Planeten. Deine Augen lachten hinter dem Rauch, jetzt flog einer geradeaus an die Decke und blieb dort kleben, wir saßen hinter unsern Tellern und beschwörten und hypnotisierten ihn, ich hätte mich in deine Augen legen mögen, den Kopf auf den Armen, wie sie nach Omeletten dufteten

Über jene Omeletten gäbe es viel zu berichten. Über das niedrige Haus, das nie ganz sicher vor einem plötzlichen Abbruch war. Am Ende eines Hinterhofes duckte es sich zwischen rostgesprenkelten Reblauben. Unter einem Einfahrtsbogen, »Mechanische Schmiede« stand darauf, trat man in den Hof, zwei kümmerliche grünliche Pferdeköpfe glotzten aus ihrer Verlassenheit herunter. In dem Haus war es sehr feucht, alles lag zu ebener Erde, man verlegte sich beständig aufs Kochen, um in der Wärme zu sitzen, aber natürlich gab dies dann wieder Dampf, der sich an den Fenstern festschlug, und draußen baumelten, in ganzen Heerscharen, braune, orange und filzgrüne Socken an der Wäscheschnur. Die Freunde, die darin wohnten. (Ich gerate langsam in Schwierigkeiten.) Warum kann ich sie nicht bei ihren Namen nennen. Ich könnte verlegen werden, bei einigen wenigstens, wenn sie hier so stehen. Und anders benennen mag ich sie nicht. Jeder so zufällige Klang eines Namens ist unwiederbringlich mit einer bestimmten Art des Davongehens, des Zurückschauens, der Mißbilligung, des Anstaunens verwachsen. Jeder Klang hat seinen Unterschlupf, mitten am Tag kann man sich in ihn hineinversetzen, dir fällt ein Name ein und dir ist plötzlich, als könntest du dich strecken, wunderbar gähnen unter einem blassen Sturm, in einem

dunkelnden Gasthaus sitzen, im leisen Blitzen
der Gläser Gedanken denken, über der Stadt
stehen in frierenden Mänteln, in der Kühle die
Augen so weit, als hörte der Abend über dir auf.
Du denkst einen Namen, und Bewegungen erinnern sich in dir, eine Krümmung im Schlaf, eine
erschrockene Hand, aufgebrochene Kreise, die
niemand anders mehr schließen kann. (Wie soll
ich euch sagen.) Ganze Romane hat man mit erfundenen Namen geschrieben, schriebe ich eine
Seite so, ich redete mit Phantomen

Ein Antrag: sollen wir uns aus dem Spiel lassen?
Soll ich von hundert und keinem reden? Lassen
wir das. Ihr seid nirgends konzipiert. Es ist überhaupt nichts konzipiert. Jetzt sind Sie aber ent-
täuscht. Ich habe eine fast unbegrenzte Verehrung den großen Konzeptionen gegenüber. Und
einen fast unbegrenzten Zweifel. Diese Gewich-
te, die aus der Vergangenheit heraufgrüßen.
Diese tötenden Attacken. Der Kunstdruck. Die
zwanghafte Höhe. Auf den schwirrenden Tür-
men Babylons, wo hören wir noch ins Jahrhundert zurück, ins Kalksteingebirge vertrieben, wo
sehen wir noch einen Silberstreifen hinter un-
wegsamen Verschüttungen, nach Gomagoi, wo
gehen wir hin. Und die sich vergruben im Flachland, ihre zehn Zehennägel zählen und den dünnen Firnis der Banalitäten verherrlichen, wer
sagt uns, daß sie nicht völlig eingingen, sondern
sich nur flachlegten, um wieder aufstehen zu
können

Diese gerade Straße. Morgen muß der Zug hier besonders auffallen, eigentlich sollte ich schon weiter sein. In solch geraden Straßen läßt man sich von Schaufenster zu Schaufenster schwemmen oder zieht kleine, grüblerische Kurven. Daß ich keine Konstruktionen erfinde, keine wunderbar verzwickten Konstruktionen. Keine pfeilgenau umschlossenen, schlagenden Geschichten! Unsere Geschichten sind angeknabbert, größere Ränder werden hinter und über ihnen sichtbar, verfransen sich wieder. Wer hält noch eine kurze runde Geschichte in seinen Gedanken fest und sie zerrinnt ihm nicht wie Tinte in der Gehirnflüssigkeit, zerfließt zu tausend Schlenkern, versickert in den Gehirnwindungen, die Gehirnwindungen zählen, und die längere und schwierigere Geschichte ihrer Verformungen

In Ferrara steht ein altes Landhaus, mit wenigen schlichten Schränken gefüllt, als müßte der ganze Blick auf die Zimmerfluchten gelenkt werden. Die Schränke versinken beim Hinsehen, die in schmalen Glaskästen aufgestellten Teller in den verblaßten Majolikafarben, sie sind nicht wichtig, nur noch der fliehende Raum zählt, die aufgeschlagenen Zimmer. Voll gesammelten Verwunderns tritt man in diese Verfächerungen, wo du lange hinschaust, atmet ein Dasein ruhig und kühn in diesem Verflockten. Wichtig wird jetzt, wer mit dir geht, wie andere die Füße hier aufsetzen, wo sie sich erheitert an die Wände lehnen, wo sie stehenbleiben, wo sie sich zuwinken, wann ihnen der Zorn in die Hände springt. Manchmal schieben sich ganze Massen gewaltsam zwischen die von Zimmer zu Zimmer eilenden Durchblicke, stellen sich quer in die Öffnungen, formieren Blockaden von Abschätzigkeit. Häufiger sind zerstreute Gruppen, die sich in den Ecken ansammeln, dumpf aneinander klebend, ein träges Schwirren, erstarrt in der Hitze. Dann legt es sich wieder. Die Nachmittagsfluchten sind erstickt. Nur noch ein Schein, zum Verlöschen matt, liegt an die Decke geworfen. So hing, an warmen Abenden, die Lampe im Schlafzimmer meiner Eltern, eine bernsteinfarbene Schale, von feinen Adern durchzogen. Es war wie in den Mond zu sehen, man bog den Kopf zurück und verlor sich in den schimmernden Verästelungen, überhaucht wie von blaßroter Marmelade. Wie ich erschrocken die Hände gegeneinander drückte, wenn plötzlich, hereingeflogen durch die offenen Fenster, in der Lampe die Käfer aufeinanderschlugen, zwischen den Lichtflächen umherirrten, von neuem aufprallten, das Surren fast schrill wurde. Dann in der jähen Stille, durch die nur schwach erhellte Schale hindurch, sah ich, wie sie erstarrten, sich blähten übereinander und als dunkle Flecken im Bernstein verblieben. Der Mann im Mond, ich kannte diese Flecken. Noch ins Bett gebracht, ängstigte ich mich, die Lampe finge an zu wandern am Himmel, surrend und verstummend von irren Käfern, die aufeinanderprallten

Man darf nicht zuviel Grauen in unseren Gesichtern lesen, wenn wir das Haus mit den Zimmerfluchten verlassen. Die Leute, die nach uns kommen, die noch warten hinter dem Schlagbaum, sie könnten sonst zögern, überhaupt einzutreten. Die überspielten Perspektiven müßten in unseren Augen liegen, das Aufatmen vor den auseinandereilenden Gängen, die weit in die Zimmer fallende Nachmittagshelle. Es ist merkwürdig, wenn man sich vor dem Haus, beim Schlagbaum trifft. Die flatternden Fragezeichen auf beiden Seiten. Es ist, wie wenn man in der Eisenbahn fährt und sich das Tempo langsam vermindert. Weit und breit ist keine Station zu sehen. Auf einmal macht es betreten, sich gegenseitig ins Gesicht sehen zu müssen, man lehnt sich ganz linkisch zurück in die Polster, so wird man verlegen, Herrschaft! was für eine dumme Situation, so zwischen den Zügen zu hangen, entweder muß man sich im nächsten Augenblick das halbe Leben erzählen, die ungeheuerlichsten Geständnisse ablegen oder man wird genötigt, hilfeheischend das Täfelchen über den Köpfen »Louez un velo à la gare« zu fixieren. Jetzt wird man sogar von einem Tunnel verschluckt, das Tempo stockt endgültig, die Lampen funktionieren nicht. Man sitzt mit aufgerissenem Mund im Schwarzen (man kann ihn getrost offenlassen, es sieht es ja niemand), bestimmt tritt einem nächstens das Gegenüber kräftig mit dem Fuß auf den Schuh und läßt ihn einfach draufliegen, oder man hat bereits eine aufgeschlitzte Geldbörse, vielleicht auch haben alle im Dunkeln längst schon den Zug gewechselt. Du sitzest allein im Abteil und denkst noch einmal die Bilder zu dir heran, die vorhin auf der Fahrt vorüberflogen, du schneidest sie weiß in die Dunkelheit, du möchtest sie ordnen, sie sollen mit dir den Tunnel verlassen, mit dir kommen, wenn es wieder Tag wird. Aber sie lassen sich nicht ordnen, du kannst dir keinen anderen Anfang und keinen Zuwachs vortäuschen, zufällig war alles, was dich streifte, nur daß du es noch einmal denkst oder verwirfst, gibt ihm Gewicht. Morgen darf es nicht fehlen

Die Abzweigung hier werden wir morgen umgehen. Unter einem kurzen, bogenartigen
Durchgang käme man dort gegen die Limmat
hinunter. Die Innenwände des Bogens waren
einst rot übermalt worden, jetzt sind sie fast völlig mit Kinoreklamen überklebt. Die Pornoge-
schichten erscheinen in wunderlichen Verzerrun-
gen über dem Kopf, man trifft hier öfters Leute
in intensives Studium versunken. Mit der Zeit
weiß man die Titel auswendig, sie schwimmen
bewußtlos im Gedächtnis, nur der Bogen steht
immer wieder da, eine genaue und abwesende
Wölbung, im schummerigen Licht. Immer wieder zog es mich zu diesem Durchgang, unter diese
gewölbte Linie, die nichts verriet und doch in
mich hinein sank, als führte sie dort weiter. Ich
verstand nicht. Ich lief in der Nähe des Bogens
vorbei und mußte zurück und unter ihm durch.
Eines Nachts der leblose Traum: vor mir war
eine ganze Stadt von Bögen aufgebaut, durch
Mauern unabsehbar ineinander verschachtelt,
Mauern von einem sehr starken Orange, es waren
wie Paradiesesmauern. Paradiesesmauern müßten so sein. Sie standen scharf umrändert vor einem Hintergrund, der zugleich ganz fern und
ganz dicht um mich schien, ein Blau, das Tiefe
und Nichts war. Lange noch fiel ich tagsüber jäh

in diesen Traum. Dann war ich ganz stark, ganz leuchtend, ganz abwesend. Später entfiel er mir und ich ging unter dem Bogen durch und dachte nichts. Einmal, es hatte lange geregnet, und die Kinoplakate rollten sich in der Feuchtigkeit, sah ich mich wieder über eine noch nasse Wiese laufen. Über die Wiese hinter dem französischen Internat, in dem ich gewesen war, es lag in einem abgelegenen Landstrich, vor einem kleinen Friedhof und einem heruntergekommenen herrschaftlichen Haus. Der Garten hinter jenem Haus mußte früher sehr groß gewesen sein. Er sah zwar schon längst nur wie ein Bestandteil des Wieslandes rundherum aus, hie und da noch ragte eine Beeteinfassung wie eine versunkene Insel zwischen den Gräsern empor. Ganz draußen in der Wiese, man konnte sich schon gar nicht mehr vorstellen, daß der Garten je so weit gereicht hatte, standen dichte Sträucher wie zu einem Pavillon zusammen. Von unserem Klassenzimmer aus waren sie als dunkelgrüner Punkt zu sehen. Es ging gegen das Abendessen, durch die Fenster herein roch es immer noch nach Regen, man schoß sich die Aufgabenhefte über die Pulte. In den hinteren Zimmern schwoll Plattenmusik an. Ich ging wahllos durch die Gänge, und zum Haus hinaus, der Kompottgeruch hing mir noch in den Kleidern. Es war weiter zu den Sträuchern, als ich gedacht hatte, obwohl ich geradewegs durch die nasse Wiese darauf zulief. Wie ich diesen oft gedankenlos fixierten Punkt vor mir anwachsen sah, ging ich etwas beklommen. Ein bißchen ist es auch lächerlich, dachte ich, wie ich hier auf einer nassen Wiese auf einen grünen Pavillon zupirsche. Es war ein aus losen Steinen zusammengefügter Bogen, ganz mit kurzblätteriger Wildnis überwachsen. Ich drängte die Sträucher, die sofort wieder zurückschnellten, auseinander, ein Brombeerzweig streifte mir den Arm. Dann sah ich noch, daß im Klassenzimmer die Lampen angezündet wurden. Über mir schlugen die Sträucher zusammen. Schwarz und unbewegt stand die Luft in dem Pavillon. Oder langsam, eine weiße Phantasmagorie, schwamm etwas die Schwärze herauf, eine moosverwaschene Frauengestalt, die Marmorfalten in eiligstem Schritt und endlosem Stillstehen zusammengerafft, das von Abwesenheit überschienene Gesicht unausweichbar auf mich gerichtet

Am Abend lachte Ce unbändig in ihren Kissen. Sie konnte nicht schlafen, wenn sie nicht eine Unmenge Kissen um sich herum aufgetürmt hatte. Ihre Decke, das übliche Kissen und alle zusätzlichen waren breit blau und gelb gestreift. Ich kam mir sehr streng vor in meinem weißen Bett. Es waren noch die Leintücher meiner Großeltern, die mir von zuhause geschickt wurden, ein fast herbes, weißes Gewebe, nicht zum Töten, wie es hieß, mir schien, ich müßte meiner Lebtag in solchen Leintüchern liegen, mit den großen, ernst geschwungenen Initialen. Ce war nun doch eines ihrer Kissen zuviel geworden, es flog in hohem Bogen gegen die Türe mit der Milchglasscheibe. Endlich hatte sie sich zurechtgekuschelt, wie auf einem Schiff ist es! rief sie, die Augen standen ihr wie grünschillernde Seen im Gesicht, wenn sie unvermittelt solches sagte. Die Schifffahrt dauerte jedoch nicht zu lange, jäh fuhr Ce mit künstlichem Entsetzen aus ihren Kissen hoch, du meine Güte, jetzt habe ich meine Pickel vergessen! Im Nachthemd beugte sie sich über ihren Handspiegel, sie strich sich das dichte Haar zurück, das an den Enden ganz blond durchzogen war, mit verkniffenen Augenbrauen drückte sie die kleinen Pickel aus und schüttelte dazwischen ingrimmig ein Fläschchen mit hellblauer Flüssigkeit. Hin und wieder lehnte sie sich nachdenklich zurück, sie sah manchmal versonnen aus, obwohl ich überzeugt war, daß sie an nichts dachte und in solchen Momenten ganz leicht war. Wenn ich Ce so anschaute, wurde mir oft erst deutlich bewußt, daß ich ein Mädchen war. Ihre unbekümmerte, ziellose Art sich zu bewegen. Wenn sie sich über das Treppengeländer lehnte und einem etwas zurief, sah ich ihre Bewegung ganz nah, dann aber verflog sie, hellgrün waren ihre Augen, hellgrün und nirgends. In der Religionsstunde entwickelten wir einen ausgedehnten Zettelverkehr, wir saßen in der gleichen Bank, aber etwas auseinander, die bedauernswerten Zwischenglieder mußten beständig die Beförderung der Zettel aufrecht erhalten. Ce konnte fabelhaft zeichnen und kommentierte mit lauter Istmirschnuppebotschaften. Wir hatten nie Auseinandersetzungen, die anderen fanden dies bereits unnatürlich und munkelten hie und da über uns. Einmal war Ce bereits in ihren Kissenbergen verschwunden, ich stand noch auf dem Korridor und faltete die Bettüberwürfe auf dem Treppengeländer zusammen, wo sie dann über Nacht hingen. Die Mädchen vom Zimmer nebenan schlenderten in die Waschräume hinüber, scheinbar zufällig hielten sie bei mir an und maßen mich aus ihren wattierten Bademänteln heraus mit einem wissenden, überlegenen Grinsen. Ich konnte auf einmal nicht mehr zu Ce ins Zimmer zurück. Ich lief bis zum hintersten Korridorfenster, wo weit weg in den Wiesenschatten der Pavillon verschwamm. Plötzlich schoß mir der Zorn ins Gesicht, ich hörte wieder das Grinsen, es legte sich wie eiserne Ringe um mich, es wollte dieses noch ganz leichte Bewußtsein von mir erdrücken. Es hatte die hellgrünen Farben der Augen von Ce

Auseinandersetzungen. Warum konnte ich nicht mehr wie früher in inbrünstiger Kinderwut das Gartentörchen zuknallen. Die Schulmappe über die Zwiebelbeete schmettern. Oder einfach den vollen Teller unter den Tisch segeln lassen. Etwas in mir war nach innen umgekippt, in einen unzugänglichen Tümpel gefallen, wenn es sich mit Worten herausarbeiten mußte, gluckste es nur mühsam an die Oberfläche, hatte bereits alle Schärfe verloren, was den andern bemerkbar wurde, war gerade noch ein Kräuseln, das schon in heller Auflösung stand

Ce schien indessen noch gar keine Auseinandersetzungen zu brauchen, mindestens keine solchen, die ihr bestätigten, daß sie überhaupt vorhanden war. Irgendwo war sie ebenso abwesend
wie ich, schwamm mir davon, ein grüner Pavillon. Diese Verschworenheit ohne Grund. Wir
besaßen die gleiche Zuneigung zu den Schwach-
sinnigen in den verstreuten Bauernhöfen um unser Internat, sie hatten einen flachsfarbenen, immer gegen den Strich gebürsteten Haarschopf,
wässerige Augen und stierten zwischen den Fuhr-
werken hervor oder schlugen sich, wenn sie uns
bemerkten, zum Zeichen der Begrüßung mit
einer lachenden Grimasse die Hand gegen den
Kopf. Am Himmelfahrtstag standen sie alle, als
hätten sie sich eigens für die Prozession der Größe nach in eine Reihe gestellt, vor der Scheune
hinter dem Friedhof. Sie rochen nach Himmel-
fahrtsschnaps und warteten auf derselben Stelle,
wo man gestern den Stier aus dem Nachbarsdorf
herbeigeführt hatte, um die Kuh des Friedhof-
gärtners zu bespringen. Das eintönige Gemurmel
des Rosenkranzes drohte anarchisch auszuarten,
als sie sich dem Zug anschlossen, einige setzten
mit schrillen Stimmen ein, andere überhaspelten
sich oder wiederholten dreimal das Amen hinter
dem GegrüßtseistduMaria. Ich blinzelte zu Ce
hinüber, wir gaben uns durch Zeichen zu verstehen, daß wir diejenigen mit dem dreifachen
Amen unterstützen wollten. Die Fahnen schwebten und bauchten sich gelassen über den gelben
Rapsfeldern. Bei dem Bildstock »Gedenke o Leser

der du hier stillestehst« stieß noch ein letztes
Häuflein zu uns. Die kleine Kirche unter den
Friedhofsbäumen schien zu vergehen vor Weihrauch, verblaßter Flieder hing schwer in die
schwüle Luft und die Flachsschöpfigen hingen
über die Bänke, als wollten sie sich übergeben,
aber sie verstaunten sich nur schnaufend in ein
Heiligenbildchen. Einige aus dem Internat ließen
ein unterdrücktes Kichern hören, aber die Ringe
schlossen sich nicht mehr um mich, ich hätte auf
die Bänke stehen und in ein irrsinniges Gelächter
ausbrechen oder in diese inbrünstige Verdunke-
lung sinken können. Ich schaute Ce von der Seite
an, sie schien nachdenklich die aufgeputzten Sil-
berwolken um das Muttergottesbild zu betrachten, aber ich wußte, sie dachte an nichts

In einer italienischen Stadt kannte ich Ce zuerst
nicht. Ich sah sie öfters im Innenhof der etwas
düster gebauten Schule stehen, das vielstimmige
Gehupe aus den chaotisch sich verwirrenden
Straßen brach in stärker und schwächer werdenden Wellen zwischen den Mauern ab. Ce hatte
seltsam flache Augen, dünnwandige haselnuß-
braune Scheiben. Nach wem sie sich umwandte,
dem legten sie sich unausweichlich aufs Gesicht,
manchmal flatterte etwas Aufgedecktes in ihnen.
Ich hatte ein Zimmer in der Via Cimabue, schräg
gegenüber einem kommunistischen Wahlbüro
mit Hochbetrieb in jenen Maitagen. Die Lautsprecher strahlten, von einem Scheinwerfer be-
leuchtet, noch in die Nacht hinaus, oft gab es

ganze Folgen von Quartiersendungen, in den Spätnachmittagen brachte Musik die Hitze zum Bersten, e grideremo ai potenti che la miseria c'è, sie wurde gegen die müden Hauseingänge geschwemmt, l'Italia è malata. Ce war auf mein Zimmer gekommen. Es war viel zu hoch für uns beide. Oben gegen die Decke hin etwas gewölbt und bis in Dreiviertelhöhe mit einem verblaßten Meergrün getüncht. Weißer Bärlauch lag verstreut auf dem Boden, Ce war das große Büschel, das sie mitgebracht hatte, auseinandergefallen, sie saß auf dem dunkelbraunen Sofa. Der Schrank, der sich nicht mehr schließen ließ, stand halb offen, in der Spiegeltüre blitzten die Scheinwerfer auf und vor dem Fenster strahlten die Scheinwerfer und die Lautsprecher durchschnitten das Zimmer. Ce saß doppelt da, sie schaute mich vom Sofa her an, sie sah mir aus der Spiegeltüre zu, sah mir zu wie ich redete, ich redete wie unter einem Schock, der Tümpel war aufgebrochen, der unzugängliche Tümpel in mir, Satzfetzen glucksten einander überstürzend an die Oberfläche, stückweise fielen die Ränder heraus, lagen herum wie der verstreute Bärlauch. Ce schüttelte unbekümmert den Kopf. Sie beugte sich herüber, jetzt vernahmen wir jedes einzelne Wort von der Straße. Die Musik ging in scharfen Stößen vorbei, ich begleitete Ce vor das Haus. Sie lief von mir fort geradewegs in die Scheinwerfer hinein

Unsere Quartiere lagen hinter den Arnobrücken,

die vibrierten im Verkehr, wir überquerten sie zu den verschiedensten Zeiten und immer wieder grundlos, der Arno floß seicht, von tuffgelben und violetten Schatten überzittert, Sumpfgräser schossen auf und durchbrachen die schwankenden Lichterreihen im Wasser. Ich lief neben Ce her. Seit ich angefangen hatte mit ihr zu reden, meinte ich mich zu den unglaublichsten Dingen fähig. Ich hielt das Flatternde in ihren Augen und konnte aber auch ganz von ihr fortdenken. Eine hauchdünne Entfremdung schnitt uns auseinander, Widerstände begannen in feinen Strichen, wir saßen ziellos auf Geländern herum und redeten. Die schmalen Häuser am Arno, die Kamine und Türme gegen den Horizont standen scharf in einem fahlen Rot. Eine jähe Starre schien sie im kurzen Übergang bis zum Einfall der Dunkelheit ergriffen zu haben, wie kahle Weinstöcke starren sie zum Himmel, sagte ich, wie aufgepflanzte Waffen

Der Kreuzgang von Santo Spirito war fast immer leer. Die Sonne schlug offen auf die schon leicht gewellten Steinplatten, dünne Zitronenbäumchen flackerten gelb in der Stille. Man mußte zuerst die alte Kirche durchqueren, um dahin zu gelangen, geblendet arbeitete ich mich durch einen schweren, muffigen Plüschvorhang in den Raum vor. Dicht neben mir hörte ich plötzlich ein stoßweises Atmen, die Jacke wurde mir aus dem Arm gerissen, jemand griff mich mit zukkender Heftigkeit an den Schultern, prego! Signorina! Ein halbwüchsiger Junge drang auf mich ein, mit geweiteten Augen bettelte er um einen Kuß, jetzt legte er wie abwartend den Kopf ein wenig schief zurück und zwang mich gegen eine Altarmauer. Wie moderig und dumpf es in Santo Spirito war, ich fühlte nachher ein Zittern, aber es war nicht aus Schrecken, vielleicht nennt man solches Erbarmen. Die Zitronenbäumchen standen fast steif in der Hitze, kaum bewegte der Nachmittag die Schatten an den Grabinschriften entlang, 1809 stand unter dem Namen einer nicht einmal dreißigjährigen Frau, dann die Geburtsstadt der Toten, die Schatten bewegten sich nicht, die Inschrift: piangete la mia morte o che pena o che dolor che brutta bestia è mai l'amor

Die Häuser der Armen. Wir haben meist ganz unzutreffende Vorstellungen darüber. Man stellt sie sich gerne eng und niedrig vor, als möchte man sie damit zwingen, auch in unserem Bewußtsein nur einen kleinen Platz einzunehmen. Ce und ich zogen eine Zeitlang weiter weg in eine südliche Hafenstadt. Unsere Pension, die man erst nach endlosem Treppensteigen erreichte, lag in den ausgedehnten schmutzigen Vierteln. Wir schienen die ganze Zeit über die einzigen Gäste zu sein, nichts unterbrach während des Tages die Verlassenheit der Pension, der Besitzer und sein Gehilfe saßen meist, oft bewegungslos, in der Küche. Jedesmal wenn wir die Pension betraten und an der Küche vorbei mußten, stand der Gehilfe in rätselhafter Dienstfertigkeit auf und begleitete uns wortlos bis vor unser Zimmer. Während wir unsere Sachen ablegten, blieb er in der offenen Tür stehen und schaute uns zu, dann erst zog er sich zurück, die Türe ließ er leicht angelehnt. Unser Zimmer hatte einen sehr schmalen Balkon, er schien so leichtfertig und auch etwas schief in dieser fast schwindelnden Höhe angebracht, daß wir uns nur einzeln hinaus getrauten. Das verschnörkelte Geländer hielt den abstürzenden Blick nicht auf, von überraschend geraden Gassen durchzogen öffneten sich uns die Viertel. Jetzt erst ermaßen wir, wie hoch hier die Häuser gebaut waren, riesige Schächte, nach außen beinahe noch intakte Silos, unzugänglich hinter blinden Scheiben, unersättlich das Elend speichernd, bis es in gärenden Gerüchen zu den finsteren Hauseingängen hinausroch. Die Armut hatte sich hier zu gewaltigen Ausmaßen zusammengerottet. Kurz schob sich mir der nur leicht verzeichnete Schemen infamer Blocksiedlungen dahinter. Wäsche hing wie ein Gespinst. Fischbänke schimmerten in ihrer silbermatten Blöße herauf, grellfarbig bekleidete Menschen bewegten sich punktartig, unser Zimmer versank in einem tonlosen Braun. Merkwürdig viele leere Schränke standen darin herum, ein unerklärliches Platzangebot. Wir blieben oft tatenlos auf dem Zimmer sitzen, in der Hemmung befangen, nicht als Eindringlinge durch die Viertel laufen zu wollen. Wir redeten stundenlang mit angezogenen Beinen auf den Betten, die auflauernden Entbehrungen unter dem Balkon trieben uns in einem fieberhaften Trotz zu wirren Gesprächen, um uns darin zu zerstören, aufzulösen, in hellsichtiger Verblendung die einzige Möglichkeit noch, mit dieser Stadt gemeinsam zu werden. In der Nacht belebten sich die Viertel. Pfiffe, langgezogene Rufe, verworrenes Gelächter schwoll zusammen, die kleinen Bars warfen ihren trüben Schein auf die Gassen. In diesen erleuchteten Halbkreisen standen zu viert und zu fünft die Huren beieinander, ihre Geschäfte schienen hier anders als bei uns gemeinschaftlicher und unbekümmerter zu verlaufen, einige saßen rauchend zwischen umgestülpten Zucchettikisten, andere stießen sich lachend von den Fischbänken hinunter, fast ohne Ausnahme waren alle blond gefärbt wie gelbe Eidotter. Nacht für Nacht eroberten sie die Plätze, die Ansteckung einer offenen Lebensform hielt die engen Gassen in Bann, eine verloren gegangene, auf einmal beinahe verehrungswürdige Animalität feierte hier noch einmal ihre Unbändigkeit. Noch im Morgengrauen standen die letzten herum, jetzt gegen die Mauern gelehnt, der Bann war erloschen. Dünn stieg der Tag herauf und beschien unerbittlich die kläglichen Überreste eines kurzen Festes, das nie länger in lebendigen Zuckungen gelegen hatte, als die bloßen, aller schillernden Schuppen beraubten Fische auf den Bänken zum Verkauf

Auf dem Morgenkaffee schwammen Flecken. Das Brot klebte wie aufgeweicht aneinander, selbst das Geschirr schien abgestanden. Zum ersten Mal bemerkten wir, wie schmutzig und trüb die braunen Vorhänge um den Balkonausgang hingen. Der Gehilfe stand in der offenen Türe. Wir brachten keinen Bissen hinunter. Ce hielt sich mit den Händen am Waschbecken und starrte in den Spiegel. Mußt du dich übergeben, fragte ich. Jetzt schielte sie mich belustigt an, dann gingen wir in die phlegräischen Felder. Es regnete. Der Schlamm brodelte schwach unter der Oberfläche, in der feuchten Luft dampften die heißen Schwefelquellen stärker als sonst. Losgelöste Schwaden krochen über die grauen Felder, nisteten in den aufgerissenen Tuffkratern. Wir standen an den lange geglaubten Fegfeuereingängen der Welt. Niemand rief mehr. Auch diese trostlosen Schwaden krochen hinab um niemanden mehr mit Sehnsucht zu erregen

Wieder in der Schweiz, war uns oft, die phlegräischen Felder zögen über der Stadt. Die Abgase des Verkehrs bleichten den Mittag und die Ausdünstungen der Industriequartiere zerquollen gelblich darin. Wir wohnten unter dem Dach eines alten breiten Hauses, das im Wasser stand, es war ein grünlicher, kaum bewegter Kanal, der uns von der Börse trennte. Scheinbar gelassen schoben sich die beiden Bauten ihre Spiegelbilder im Wasser entgegen. Es war aber ein heimlicher und zäher Kampf, den das längst verwitterte großbürgerliche Haus gegen die immer mehr sich ausdehnende Börse führte. Ebenso unzugänglich wie diese funktionierte und ihre Mächte um die bedrohten Kurse sammelte, ebenso verschloß sich das einst im großen Stil geführte Haus in seine unbewohnten Räume, die hinter nie mehr geöffneten Jalousien dahindämmerten. Eine geschlossene Front lehnte es im Wasser, stumm sich dem einstigen Verbündeten verweigernd, der sich an ihm verraten hatte und nun jene Gelder in die Höhe trieb, die es bereits mit Abbruchgerüsten umzingelten. Wir hatten uns oben in den einstigen Gesindezimmern eingerichtet, auf den Fenstersimsen ließ Ce unmäßige Kürbispflanzen wuchern, Wiesenschaumkraut schoß in die Höhe. Zwischen dieser völlig gesetzlosen Dachlandschaft ließen wir an warmen Tagen die Beine über das Vordach schlenkern und schreckten damit die Börsenangestellten, die uns nächstens hinunter in den Kanal stürzen sahen. Am Abend lag die Börse wie ein ausgehöhlter Koloß da, gespenstisch lauerten sich die lichtlosen Umrisse der zwei Gebäude im Wasser auf, ich schlief oft unruhig. Einmal sah ich Ce in einem geblümten Nachthemd auf dem Fahrrad zur Kirche eilen, sie hielt noch einmal ihren Hochzeitstag, sie fuhr mutterseelenallein aus weißen Schwaden von Nebel heraus, Hochzeitsglocken schlugen hinter den hochfahrenden Wogen ineinander und ertranken in der weißen Undurchdringlichkeit. Erst mit der Zeit rückten auch noch andere Leute ins Bild, die im Zeitlupentempo Arme und Beine hoben, als müßten sie gegen den undurchdringlichen Nebel schwimmen. Mitten in dieser vermummten Festlichkeit starb mein Vater noch

einmal, ich fühlte wieder jenen schon fast untergesunkenen, schreckhaften Schmerz, ich suchte
überall schwarze Kleider, aus dem Nebel schwebten Berge von aufgeklappten Koffern hernieder,
aus denen dunkle Rockärmel hingen, fieberhaft
durchwühlte ich die Kleider und fand nur immer
viel zu lange und zu hochgegürtete mit einer matt
glänzenden Schnalle unter der Brust

Der Tag kroch schon grau an den Wänden
empor, ich ging barfuß auf den Gang hinaus, hinten in einem Winkel hing das Weiß von Ces
Nachthemd. Ich brachte keinen Laut heraus.
Aber sie bückte sich nur über den alten Hund,
der mühsam und geifernd atmete, sie flüsterte
ohne die Lippen zu bewegen. Jetzt schien sie der
fahle Streifen Helligkeit, der aus meiner offenen
Zimmertüre fiel, abzulenken. Sie schaute herüber. Ihr Gesicht hing wie das Hemd flach und
weiß im Halbdunkel, sie schaute herüber mit
ihrer abgewendeten Angst. Ich fühlte beruhigt
das Blut in mir pochen, um das sich versöhnt die
Linien des Ganges legten. Ich ging in mein Zimmer zurück und streifte mir langsam das Nachthemd über den Kopf. Da fühlte ich es plötzlich.
Wie es von der Börse herüberstierte, in gerader,
genauer Linie auf mich zu, dort stand eine Gestalt, bewegungslos, das Gesicht an die Scheibe
gepreßt, überscharf in den endlos grauen Glas-
reihen. Von jeher wissend. Alles verschlingend.
In tödlicher Beschlagnahme über unser Haus
wachsend

Woher kommen diese Tage in uns, aus welchen Fabriken werden sie auf unsichtbaren Fließbändern an die Luft befördert und kriechen uns mit der Witterung unter die Haut. Wie stumpf ein solcher Tag ist. Wie er sich um die Menschen legt. Warum können wir nicht alle Uhren zertrümmern zwischen zwei und vier. Die Zeit mit einem Wahnsinnsgebet verhüllen. Oder mit violetten Tüchern bedecken. Ist das nicht die Passionsfarbe. Diese Panik im toten Nachmittag. Nicht einmal die Ameisen ticken im Gras, hinter den halbgeschlossenen Küchenjalousien vergehen die letzten Bratengerüche. Die Eltern schlafen so lang und tief, wer hat mich, dachte ich, ausgesetzt in den Garten, in dieses weiße Stocken, jetzt muß die Welt erstarren oder ein Vorhang reißt, die Hügel von Golgatha reiten durch die Luft. Oder du lehnst dich draußen in den Vororten an einen schmutzigen Grashang und drückst die harten Büschel gegen dich, um nicht quer in den Verkehr zu laufen. Oder du wartest auf dem Paradeplatz, und niemand kommt, und ein stichoranger Wagen kreischt in der Kurve, dich zieht ein schneidender Brechreiz zusammen, ein Kontrolleur fixiert dich. Wie das verstümmelte Gesicht auf dich zukriecht, schwammig, das Kinn bläulich gedunsen. Stunden, wo die Stadt ihre Geschwüre nicht mehr verdaut, ihre Zerstreuungen einen faden Geschmack hinterlassen und ihre Einsamkeiten aufstoßen

Wollen Sie sich nicht auf diese Traminsel setzen?

Traminseln sind der unausweichlichste Platz in einer Stadt. Der einsamste und unausweichlichste Ort. Man ist zur Gänze ausgesetzt. Reden Sie nicht über die verbilligten Spargeln! Die verseuchte Innenstadt, die angedrohten Sparmaßnahmen, die Butteraktion. Nur auf der Traminsel sitzen, den Zwang zu sprechen ignorieren und dafür die aufstoßenden Gerüche zu den eigenen machen. Jetzt mit Ce auf der Traminsel zu sitzen! Und nichts sagen. Und mit bloßen Zehen die Gerüche zerpflücken und die Fußsohlen hinunterkitzeln lassen und plötzlich grundlos lachen. Aber wenn Ce nicht da ist. Und niemand da sein will. Da ging ich auf mein Zimmer. Allein. In geräuschloser Schnelligkeit zog ich alle meine Sommerkleider aus dem Schrank, aus dem Gang hatte ich den hohen Spiegel geholt und provisorisch auf den mit Korbgeflecht überzogenen Stuhl gestellt. Die Kleider flogen nur so, ich schlüpfte in jedes hinein, im Spiegel waren die hellgrünen Karos meiner Bluse eng aneinandergeplustert, das erdbeerfarbene Kleid flatterte wie ein zerrissener Schleier. Der ganze Farbentaumel lag durcheinandergewirbelt auf meinem Bett und nackt warf ich mich plötzlich verdurstend mitten hinein. Über mir an der Decke zerblätterten die Risse, als Kind durfte ich an den langen Nachmittagen mit meiner Mutter schlafen, ganz den Biegungen ihres Rückens angekuschelt, ganz geschützt in ihrer Wärme und ihrem regelmäßigen Atem. An der von dunkelbraunen Balken durchbrochenen Decke war immer derselbe Riß auf

Wanderung begriffen, ein großes höckeriges Kamel, das mich noch, wenn meine Mutter schon lange aufgestanden war, in die fernsten Länder trug. Wie blaß und still die Risse über mir geworden waren. Nur in meinem Körper hörte ich jetzt deutlicher, fremder und näher, die eigenen Rundungen pochen, noch im kurzen Vergehen der körperlichen Lust bog ich mich in süßem Schrecken zusammen, wie unter einen zitternden Bogen gespannt. Die Lichthöhlen wanderten so heimlich unbewegt unter dem Berg von Kleidern. Nur etwas, unsichtbar, zog eindeutig und leise mein Kinderwesen hinweg, dieses Kurzzufriedene, dieses Halbe, der Durchgang lag hinter mir, ich sah mich hellwach in ein anderes Leben treten, sah scharfe Schatten, sah wirkliche Gesichter, hörte ein Flugzeug stürzen über der Stadt

Dort hinter dem Pestalozzidenkmal steht, halb versteckt zwischen dünnen Lorbeerbüschen, die Bank. (Die kuriose Bank.) Das heißt, die Bank kann nichts dafür, aber ich bin mit einer kuriosen Idee darauf gesessen. Ich wollte an die Maidemonstration und schlenderte die Bahnhofstraße hinunter. Hinter dem Pestalozzidenkmal saß ich plötzlich ab und dachte: jetzt warte ich, bis sie hier vorbeikommen. Einfältiger gehts nicht mehr. Die Leute drückten sich gelangweilt den geschlossenen Warenhäusern entlang, einige schoben Kinderwägen wie rettende Alibis vor sich her. Vor dem Feldpausch standen ein paar Italiener mit zurückgekrempelten Hemdärmeln und bogen sich vor Lachen über die hochbeinigen Chromstahlpuppen, die hinter den Schaufenstern schillerten, mit vorgeschobenen Beckenknochen und einem kahlgeschorenen, snobistisch verblasenen Kopf. Um die gespreizten Schultern hing ihnen diese Bettjäckchenmode, diese ganze flaumige bonbonfarbige verlogene Romantik. Wie Zuckerwatte. Nur nicht so verlockend und betörend wie die Zuckerwatte zuhause am Kirchweihfest, jenes süße unbegreifliche Wunder, das der weißbemützte Mann in zauberhaften Farben aus seiner Kiste drehte. An jenem kleinen Stand, dem im Nu und in duftenden Wolken die Zuk-

kerwatten entstiegen und der mich so in Bann
schlug, daß sogar das heißgeliebte Pferdekarussell
daneben in den bunten Brandungen des Platzes
versank, haben mich die erotischsten Verführun-
gen gestreift. Aber diese Zuckerwattenpuppen
hier haben nichts von jenem betäubenden, kör-
perhaften Duft. Das sind nur chemische Täu-
schungen, sterile Hülsen

Der Tag war blau blau, die kommen lange nicht,
dachte ich. Diesem Feiertag ausgesetzt, liefen die
Leute ratlos und linkisch darin herum. Plötzlich
tönten aus unbestimmbarer Nähe Rufe herüber.
Jetzt wieder ferner. Jetzt wieder näher. Sie kamen. Sprechchöre, Tonbandfetzen fielen aus ab-
gebrochenen Schallwellen in das aufgerissene
Vormittagsdösen, die eben noch leblosen Häu-
serfassaden schienen sich anzuspannen. Dem
kleinsten Gegenstand teilte sich die alles verun-
sichernde Erwartung mit. Doch der Zug der Demonstranten. Er erschien nicht. Die Rufe schwol-
len ab, kamen nochmals hoch, dann verloren sie
sich. Oder kamen sie wieder, der Riß im Vor-
mittag blieb, der unsichtbar herübergeklungene
Aufruhr, diese lebensvolle Bedrohung, die, da
man sie nicht sah, jede Gestalt haben mochte. Sie
vibrierte in den Straßenrändern weiter, verrück-
te alle Beziehungen. Wäre die Demonstration
jetzt aufgetaucht, hätte sie diese Erregung jäh abgeschnitten, die Demonstration wäre einfach dagewesen, eine totale Tatsache. Jetzt aber, in dieser Ungewißheit darüber, wo sie sich aufhielt, ob

sie herüber kam oder nicht, jetzt in diesem Zustand der Vorbereitung oder der Auflösung entfaltete sie ihre Gefahr

Plötzliche Manifestationen. Ich glaube nicht an ihre größere Beunruhigungskraft, ich glaube nicht an den Verfremdungseffekt. Plötzlich veränderte Tatsachen nehmen wir ebenso hin wie vorher ihr Gegenstück. Was nicht gewachsen ist, was keine Geschichte hat, kann uns nicht verändern. Erst nachts, wenn du in einem Irrenhaus bist, zerfällt dir seine Totalität, wandern diese Risse des Daseins gesondert auf dich zu, gräbt sich dir das aufgehäufte Leiden in einzelnen Stichen zwischen die Gedanken. Ein Irrenhaus. Psychiatrische Klinik heißt es heute. Warum sagt man nicht mehr: ins Irrenhaus gehen. Im Narrenhaus verschwinden. In dem Wort lag noch etwas wie ein Triumph, eine königliche Schnodderigkeit der Gesellschaft gegenüber. Und die Verrückten, denen man wie großen Verbrechern insgeheim eine bewundernde Scheu entgegenbrachte, man betrachtete sie, als gingen sie mit heiligen Visionen schwanger. Nur die Löcher, in die man sie steckte, die Ketten waren entsetzlich. Die hygienischen desinfizierten psychiatrischen Kliniken heute. Es ist ein bißchen Mode geworden, über sie herzufahren. Sich an ihnen abzureagieren. Einen Sündenbock zu finden. Aber schieben wir nicht selbst jeden Tag die Verrückten ab, drängen sie langsam auf jene weit aus der Stadt entfernten sterilen weißen Würfelhäuser zu. Warum haben

wir jene Anstalten so weit aus unseren Lebens-
gegenden versetzt, wie die Toten, wie unsere Gerüche, wie den verratenen Liebeshunger? Warum
holen wir unsere Verrückten nicht im Protestzug
zurück, mitten in unsere Stadt. Auf dem Paradeplatz sollten sie ihren Garten haben! Aus den
Fenstern der Banken sollten sie hangen mit seli-
gem Kichern, auf der Traminsel würden sie sitzen
und den Wartenden ihre listigen Abenteuer erzählen. Diese unseligen Enden der Welt, wohin
wir in den Verrückten uns selbst verbannt haben,
diese vereinzelten Pavillons verloren in weißge-
frorenen Feldern. Es war im Februar, als ich zur
Arbeit hinkam. Ich lief über die schneeüberstäub-
ten Kieswege auf meine Abteilung zu. Es war
eine geschlossene. Und als ich am letzten Abend
am Fenster stand und hinausschaute, war dort
hinter dem Hügelzug, wo die ersten Dörfer her-
überblinkten, die Welt verblaßt, unverständlich,
abnorm geworden, und hier war es, wo in dumpfen Auswürfen des Schmerzes und der Ekstase
die verlorenen Zusammenhänge wieder aufbra-
chen. Aber wenn sie niemand aufnahm. Niemand zurückführte. Niemand in die Welt wieder
einließ

Wir waren eine kleinere Arbeitsgruppe und
mußten uns am Morgen zuerst die Schürzen holen. Säuberlich gestreifte Schürzen, Ärmelschür-
zen, Anstaltsschürzen. Als hätten wir nicht in
irgendwelchen Schürzen, in Pullover und Jeans
ebensogut arbeiten können, unauffälliger,

schutzloser. Diese hygienische Distanzierung. Diese feige Hygiene. Im alten Bau unten am Fluß, hieß es, könnten wir uns im Bügelsaal die passenden Schürzen anprobieren. Wir liefen quer über den leicht verschneiten Hang zum Fluß hinunter, das Gelände, wo die Flüchtenden gejagt wurden, wie wir erst viel später erfuhren. Der alte Bau war ein Kloster gewesen, eine barocke sinnlich frohe Zuflucht, dunkelumflossen stand die Giebelseite gegen Mittag. Zum Bügelsaal, fragten wir. Wir kamen in einen langen gewölbten Saal, von fast überbordenden Stukkaturen umrandet, es mußte der Kapitelsaal gewesen sein, da hantierten nun zwischen dampfenden und zischenden Bügeleisen die neuen Heiligen in ihrer Anstaltsfrisur. Wie Eingeweihte glotzten sie uns entgegen, brachten uns Stöße von Schürzen. An einem alten Meßbuchständer baumelten weißgestärkte, steife Kräglein, ich kam auf die bizarre Überzeugung, daß hier alles auf den Kopf gestellt sei, wo lag denn die Kirche, dort wurde vielleicht nun gekocht und in den Beichtstühlen versorgte man die eingemachten Brombeeren und Mirabellen

Bei unserer Rückkehr auf den Hügel wurde bereits das Essen verteilt. Das Essen brachte die spürbarste Belebung, besonders unter die alten, apathisch herumsitzenden Frauen, eine heißersehnte Abwechslung, viele hätten sich am liebsten in die Schüsseln gewühlt, begierig rochen sie den Schöpflöffeln entgegen. Doch Lina. Die so

gern die Anstaltswürste mochte. Warum ißt sie
nicht. Zerquält steht sie auf, mühsam, das viel zu
schwere Gewicht ihrer kaum dreißig Jahre mit
sich stoßend. Ein Weinen, ohne Laut, verzerrt
jäh ihr Gesicht. In hilflosem Eigensinn durch-
quert sie unablässig den Raum. Jetzt murmelt sie
undeutliche Flüche, sie flucht ihrem Vater, sie
schiebt die Luft vor sich her, als müßte sie sich
durch den berghoch aufgeschütteten Groll einer
Kindheit arbeiten. Lina. Was soll Lina. Wo einen
Platz finden zum Bleiben und die Flüche ausrin-
nen lassen im Nachmittag. Wo den Stimmen, den
Aufsichtsstimmen im Saal, sich mit stummem
Trotz entgegenstemmen. (Sie sind aber wieder
faul, Lina. Sie Arbeitsscheue. Sehen Sie nicht,
wieviele Eisenteilchen die andern bereits zusam-
mengefügt haben?) Wie kann man stundenlang
diese Teilchen drehen, wenn dort hinten die Un-
garin sitzt, mit der schwarzen Strähne über dem
Gesicht, angestrengt die Eisenteilchen befühlend,
und singt: Sitzt ein Krieger mit schwermüt'gem
Blick

Am Anfang spürte ich Schwierigkeiten mit den
gleichaltrigen Mädchen, die uns vorübergehend
zugeteilt wurden. Die meisten waren drogen-
süchtig, hatten den Strich gemacht oder waren in
Erziehungsanstalten nicht mehr tragbar. Karin
hatte herumgerockert. Ich sagte ihr gleich in einem Ton guten Tag, als gehörte sie zu unserer
Arbeitsgruppe. Ich schämte mich für sie, daß sie
in den gleichen Saal zu diesen alten, körperlich

verkommenen Frauen gesteckt wurde. Mitgefühl wollte ich ihr nicht zeigen, das wäre noch empörender gewesen. Was hieß hier schon Anteil nehmen. Karin wußte viel mehr als ich. Hatte viel mehr erlebt. Hatte sich mehr drücken müssen. Ich schämte mich auf einmal meiner ungeschminkten Augen. Wie es so gewesen sei beim Rockern, fragte ich. Karin lachte mißtrauisch, dann hörte ich zu. Ich weiß nicht genau, welche Handbewegung es dann ist, welcher Tonfall, welches Zuwarten, welches grundlose Lachen, das uns Zutritt gewährt zum andern. Die Scheu verflog mir, ich widersprach Karin auch, sagte: jetzt übertreibst du aber! Ich widersprach auch den alten Frauen, wenn es mir natürlich schien, wie dumm, mit Jaja Verständnis heucheln zu wollen. Damit degradiert man sie gerade. Zu undiskutablen Wesen. Zu Phantasten, die man konsumiert. (Wie interessant.) Zu Studienobjekten. Karin zeigte mir ihre Perücken in der Zelle. Die blonde gefällt mir nicht so an dir, zu deinen dunklen Augen, die macht ein bißchen kitschig. Die schwarze steht dir gut. Als ich ein paar Tage später in die Stadt mußte, steckte sie mir die Perücke in die Tasche, laß sie schwarz färben, als ich zurückkehrte, war Karin bereits abgehauen, was denkst du so beim Abhauen, Karin

An den Abenden dachte ich viel an Ce zuhause. Wirst du auch einmal so verschwinden? Und vielleicht wüßte ich es sogar vorher und was sagt man da. Jetzt mache ich dann Schluß, sagst du, und ich sitze vor dem Glas mit dem roten Saft in der halb verlassenen Wirtschaft, eine nur vom leeren Nachmittagslicht erhellte Dorfwirtschaft, ich sitze da und sage nichts. Warum soll ich ein erschrecktes Gesicht zeigen, damit rücke ich von dir ab, damit stelle ich mich auf die andere Seite, damit mache ich dich allein, du sähest das gespielte Erschrecken in meinem Gesicht, und du würdest denken: das ist die Fratze der Gesellschaft. Komm, wir gehen ins Dorf und machen Unsinn. Oder wir gehen vors Haus und schwatzen unter den hellgrünen Birken, dort begann, weißt du das, meine erste imaginäre Reise mit dir, ich saß auf der Schulmappe am Boden und du erzähltest und erzähltest, und was du erzähltest, sog uns wie in einen Trichter hinein, aus dem wuchsen die Birken schwindelnd hoch hinaus, in deinen Augen kletterte es von einem schwarzen Ring zum andern und ich mußte die milchig weiße Rinde dazwischen überhüpfen und hinter dir her, vielleicht gab es das nicht, was du erzähltest, aber oben, wo sich die Birken in schwindelnder Höhe bogen, winkte es uns, und wir zersprangen dort oben und fielen scherbelnd hinter die Welt, niemand hat es gehört

Oder gehen wir hinter das Haus? Und hängen die Wäsche auf und reden durch die Hemden und die Taschentücher und die aufgeblähten Bettbezüge hindurch, wie die Wäsche scharf gegen den Wind steht, wie sie flattert. Die nassen Farben brennen in der Luft. Wieso sind wir da. Oder gehen wir doch wieder weg, die nasse flatternde Wäsche tut so weh in den Augen, warum möchte man fliegen, wenn man sich ängstigen muß vor dem Sturz, warum verreden wir uns in wirre Wünsche, wenn wir wissen, es ist nur der beklemmende Ausschnitt des Tales hinter den Wäschedrähten, den wir nicht ertragen. Gehen wir doch wieder vor das Haus, denk, wie du braungebrannt und stämmig als Kind auf dem kleinen Vordach über der Haustüre gesessen bist, dort oben war der kriegerische Hochsitz, von dort habt ihr unbarmherzig den reichen Nachbarsgarten inspiziert, alle heimliche Neugier mit Verachtung überbietend, und wenn die Nachbarskinder sehnsüchtig nach Spielgefährten ums Mäuerchen strichen, habt ihr keck gerufen: geht doch heim eure Pralinen essen

Der Wahnsinn ist nicht verlockend, Ce. Komm, wir legen die alten Fotos weg, warum fühlen wir beinahe etwas Bewunderndes, wenn die Großmama mit ihrem feinen, schwermütigen Lächeln aus dem Spitzenjabot herausschaut, mit diesem exaltierten Zug um die Augen. Wenn sich jemand vage an jenen Großcousin erinnert, der fast heimlich filmte, der nach Schweden ging und sich zweiundzwanzigjährig das Leben nahm. Und wenn sein Bild wieder verwischt wird vom Schatten der Großtante, die sich erschoß, wer weiß es, oder vergaste, wer weiß. Komm, wir klappen die Familiensehnsüchte zu. Der Selbstmord, das war auch die Aura der Bourgeoisie.

Lach doch, Ce. Komm, wir lachen und strecken das Kinn in die Luft und lassen den Regen in uns hinunterlachen, hörst du, wie er in die große Herzader gluckert und sich nicht mehr halten kann vor Lachen. Du gehörst doch nicht zu jenen, die vor den überkommenen Bildern kranker Genialitäten bedauern, daß es keine Schwindsucht mehr gibt. Und daß sie nicht mehr Blut spucken können, und daß die Flüsse zu trübe geworden sind, um darin noch einen rührenden Tod zu finden, weil sie noch nie nach dem Leben geschrien haben. Leicht, so traurig leicht liest es sich, wenn einer, war es nicht Simon Tanner, einen anderen sah wie er hinging und in einer gelben Sommerjacke in den Winter lief und durch den Schnee und durch die Wälder und sich einfach hinlegte und sich unter dem Rauhreif in den Tod schlief. Diese Selbstmorde, Ce. Wir müssen von ihnen fortgehen. Wir sind doch nicht diese Neunzehntesjahrhundertsüchtigen

Der Wahnsinn hat andere Gesichter. Am Morgen gehe ich den Zellen entlang und wecke die Frauen. (Man muß zuerst die Türen aufschließen.) Dabei rede ich immer schon, laut und sicher oft unsinnige Sachen, nur damit sie nicht merken, daß ich zuerst den Schlüssel drehen muß. Warum sind diese alten Frauen so aufgeschwemmt, aufgeschwemmt von der ewigen Pillenzufuhr, und als hätte die Verstörung ihrer Gedanken auch ihren Körper verstört. Wie verkommen diese Körper sind. Verwirrt stehe ich mit den Kleidungsstükken in der Hand, weiß nicht wo anfangen. Dann schiebe ich alles Zaudern hinweg und laufe um die Frau Durisch herum. So unmäßig aufgequollen ist sie, daß ich mit den Bändeln des eigens für sie angefertigten Korsetts um sie herumlaufen muß, um die Enden binden zu können. Dann kontrolliere ich die Badeliste. Heute müssen noch sieben Frauen gebadet werden. Das war eine Manifestation! Am letzten Montag. Ich war sprachlos. Glatt weg. In Hochstimmung vom Zusehen. Die zwei alten, noch freistehenden Badewannen sind in einer Art Waschküche untergebracht. Lieschen strampelte und pflotschte in der Wanne (warum sagt man ihr überhaupt Lieschen, dabei ist sie über fünfzig, eine Matrone! Wenn sie tobt in der Zelle, wie idiotisch, ihr Lieschen zu sagen), sie platschte im Wasser herum, ich war ganz naß davon, unversehens stand sie immer wieder mit einer einzigen Bewegung aufrecht in der Wanne, alles schwankte, sie lachte aus tiefer, gurgelnder Kehle, verseifte sich wild die Haare, da stand sie, ein Vulkan, ein wahrer Marat, eine Revolution in der Badewanne

Die Nachmittage gingen stumpf und reglos dahin. Die Frauen dösten in ihren Sesseln, schliefen mit einer fallengelassenen Strickarbeit im Schoß, die über Nacht von den Schwestern wieder aufgetrennt wurde. Marusa starrte durch die Milchglasscheiben, hinter denen der Pimpernell wuchs, die Ärztin streckte flüchtig den Kopf herein, Marusa, fragte ich, ach Marusa, sagte sie mit einer wegwerfenden Handbewegung, Marusa ist eine alte Katatonin. Da saß sie, mit einem zusammenhanglosen Lächeln in den Falten der Mundwinkel. War es Nachsicht, dieses Lächeln, oder Verlassenheit hinter den Illusionen oder ein Grauen, das so tief ist, daß es nicht mehr fühlbar wird. Wenn vor dem Nachmittagskaffee der kleine Wagen mit den Medikamenten hereinrollte, ergriff mich oft eine heftige Aggression gegen alle diese aufgetürmten Fläschchen und Döschen und Pillenschachteln. Da kam er wieder, dieser Sesamöffnedich, und ließ die sanft tötenden Gifte heraus. Diese Gifte, die den leichtesten individuellsten Antrieb wie eine Grippe abwehren, jeden Ausbruch zum vorneherein hemmen, jede Unruhe mit grenzenloser Apathie stillen. Warum kann man diese Frauen hier nicht auf ihre Weise sich selbst sein lassen, das hieße, auch einmal toben, etwas zertrümmern, schluchzend den Schüttstein umarmen, sich durch einen glitzernden Rhabarberkuchen wühlen. Das stiftet Unordnung. Sie könnten die andern erregen. Sie angreifen. Das Personal strapazieren. Jeder Anfall schwächt die Gehirnzellen. Am Abend schreibt die Oberschwester mit spröden Buchstaben in den Tagesbericht: Keine Störung. Alles ruhig verlaufen . Marusa eine Stunde isoliert. Beste Ordnung. Marusa

Elsi liebte intensiv ihren Wäscheschrank. Mindestens zweimal am Tag befragte sie das Personal nach seinem Zustand, ob das Nachthemd mit den gestickten Rosenblättchen um den Kragen schon aus der Bügelei zurück sei, man mußte nachsehen wie die Taschentücher gebündelt lagen und ob der gelbe Sonntagspullover auch wirklich mit der Innenseite nach außen zusammengelegt war. Das Schlimmste für Elsi war, daß ihr der Wäscheschrank völlig entzogen blieb, nur das Personal durfte sich mit den Wäscheschränken beschäftigen, die in einer strammen Reihe auf dem großen Estrich standen. Einmal, ich war allein im Saal, bat mich Elsi inständig, etwas in ihrem Wäscheschrank nachsehen zu dürfen. Ich ging mit ihr hoch, sie zitterte vor freudiger Hast und Erregung. Sie kroch in den Wäscheschrank hinein und befühlte mit großer Zärtlichkeit alle die kleinen Beigen, dazwischen schien sie zerstreut etwas zu suchen. Jetzt stieß sie einen befriedigten Laut aus und drückte heftig eine Beige mit Waschlappen an sich. Ihre Waschlappen! Elsi konnte sich stundenlang waschen. Man mußte sie oft mit Gewalt aus dem Waschraum entfernen. Sie betrachtete zwar oft während des Einseifens mit bekümmertem Ausdruck die Anstaltslappen mit der rotgestickten Nummer in der rechten Ecke. Aber hier! Elsi kniete auf dem rohen Bretterboden und faltete ihre Waschlappen auseinander. Die einen waren von einem blaßblauen Band durchzogen, »Anna Oberlin Kaufhaus« stand weiß darin, andere waren violett betupft, wieder andere von grauem Grund mit einem gelblich gewordenen Hohlsäumchen gerändert. Ein altes

Gebetbuch rutschte zwischen der ausgebreiteten Herrlichkeit hervor, du heiliger Eustachius und Eusebius murmelte Elsi verzückt, sie drückte alles an sich, wie ein Kind, dachte ich, auch wenn sie hilft den Nachmittagskaffee verteilen, auch die Brote drückt sie an sich wie ein Kind

Später hatte ich Abendschicht und half beim Zubettgehen. In diesen Stunden, da ich nie einen Anfall gehört habe, da der Wind in den Feldern sich legte und warme Lichtwellen in die dunkelnden Korridore flossen, bekamen die Dinge etwas Zerreißendes. Die Frauen standen in ihren Zellen und rückten verloren ihre Betten zurecht. Sie strichen mit abwesenden Fingern den Decken entlang, über die kühlen Gitterstäbe, eine furchtbare Verlassenheit ging von diesen Betten aus, sie mußten darin liegen wie Tiere, die in dunkle Erdfalten kriechen, wenn sie sich sterben fühlen. Wie sie einen anschauten, aus einer so dumpfen Ferne, die angstlos geworden ist. Mich hat als Kind eine todwunde Amsel so angeschaut. Ich kroch halb spielend halb eingeschlafen auf dem Stubenteppich herum, es war heißer Sommer, durch die geschlossenen Jalousien fiel nur noch auf die hinteren Wände dünngestreiftes Licht. Ich lag mit dem Kopf auf dem Arm vor dem großen Sessel, seine Füllung bauchte sich fast bis zum Boden, nur noch ein ganz schmaler, dämmeriger Zwischenraum blieb, dort zeichneten sich langsam die gelben Augenkreise ab, das matte Vogelgefieder, wie konntest du dich dahin verkriechen, einmal noch hoben sich die schwarzen Flügel und schlugen müde gegen die Sesselfüllung und wuchsen über mir zusammen und im heißen Sommer mußten wir miteinander sterben. Wer teilt Marusas Sprachlosigkeit. Das leere Bett neben ihr. Wie mußte sich in der Nacht ihr Körper krümmen, über den nie eine Hand strich. Daß sie nie das leere Bett neben ihr mit Fäusten durchbohrt hat. Allen Flaum herausgegraben und zerknüllt hat. So leer war das Bett meines Vaters, nachdem er gestorben war. Oft deckte ich, noch vor dem Abendessen, in großer Ängstlichkeit das Bett meiner Mutter auf, bereitete ihr alles vor zum Hineinschlüpfen, keinen Augenblick durfte sie an das leere Bett neben ihr erinnert werden, ich schirmte es mit unförmigen Kissen ab, türmte die verschiedensten Sachen darauf, als existierte es gar nicht mehr darunter. Schulschürzen, ausgewechselte Pullover, Kniesocken jeder Größe häuften sich auf dem besagten Bett, und meine Mutter zerbrach sich den Kopf über diese rätselhaften Ablagen

In den entfernteren Korridoren fallen die letzten Türen ins Schloß. Jetzt werden die Frauen bald einschlafen. Sie haben ein flaches Gesicht, wenn sie so in den Kissen liegen. Immer flacher, immer breiter wird es und dehnt sich und bläht sich blaß auseinander, das sind wieder die Kinder in Bremgarten, weiß du noch Ce, oder warst du nicht mehr so weit durch die Anstalt mitgekommen, wir hatten noch nie Wasserköpfe gesehen, das

Zimmer war klein und stickig, wo die Kinder lagen. Blasse riesige Monde, schwammen ihre Gesichter darin, unmäßig über die Kissen gedehnt, man hätte schreiend etwas zerreißen mögen vor Schmerz und brachte keinen Ton hervor. Das ist wieder die Lampe im Schlafzimmer meiner Eltern, die bleich verglüht, und die irren Käfer blähen sich darin auf, und getrübt wandert der Bernstein als geängstigter Schatten durch die Nacht

Manchmal schepperten die Kaffeekrüge beruhigt und gewöhnlich im Nachmittag, und ich ging gewöhnt und gedankenlos durch die Gänge, trug Brote, schüttelte Decken auf, sortierte Wäschekörbe. Lieschen, soll ich sie Elise nennen, »Für Elise«, durchstreifte listig die Säle. Sie verstaute alles, was ihr zwischen die Finger kam, mit geheimnisvoller Miene in einer Tasche. Sie war jetzt wieder der Doktor und wandelte. Wandelte besorgt durch die Säle mit ihrer Medizintasche, in der Spritzen und Abhorchgeräte durch Kleiderbügel und Serviettenringe ersetzt waren. Ha, der Kasper, Sie Kasper Sie! klopfte sie mir auf die Schulter. Dann zwinkerte sie geschäftig und schwang ihre Tasche. (Sie werden noch staunen, was ich für ein Doktor bin! Wie ich die Bande kurieren werde. Platzen werden die noch vor Gesundheit. Nächsten Sonntag wird die Anstalt aufgehoben!) Nur manchmal, müde von der Arbeit, ich hätte mich auf die Bettvorlage legen können und wäre gleich eingeschlafen, schwemmten sie sich mir noch einmal ins Bewußtsein, trieben an gegen mein Einschlafen, Marusalinakarinundmaru. Ich habe einmal in Florenz einen Film gesehen, er wurde in einem an die Universität angrenzenden Gebäude gezeigt, es gab dort ein Gewirr von langgezogenen klösterlichen Gebäuden, von Loggien in denen wasserblaue Medaillons verwitterten. Es war halbdunkel im Saal und es wurde so geraucht, daß ich erst nach einiger Zeit bemerkte, daß wir in einer ehemaligen Kirche saßen. Trotz der kaum abgeschwächten Hitze meinte ich, es feuchten zu sehen von dem sich verstrebenden Gewölbe, dann war es mit einem Schlag dunkel. Was es heißt, im Kino zu sitzen, war mir in den sonst üblichen Klappsesseln, zwischen den schallschluckenden Wänden, nie besonders aufgefallen. Hier aber saß man auf Bänken, jedes Husten verdoppelte sich im Deckengewölbe, jedes Scharren mit den Füßen pflanzte sich verfünffacht weiter. Während der Streifen ablief, zwang etwas mich immer wieder, die neben mir Sitzenden zu beobachten, schemenhaft beleuchtete Gesichter, unverwandt nach vorne gerichtet, eine einzige Front. Hier so vom Dunkel verschluckt zu sitzen, die eigenen Konturen verflossen in der Menge, nur noch Gesicht, ganz leer, ganz gegenwärtig. Es könnte etwas Berückendes haben, dachte ich jäh. Aber das Grauen der jetzt kaum mehr wechselnden Bilder verwirrte mir alles. Die Bilder. Das Bild. Eine totale Strategie des Grauens. Niemand regte sich, war denn keiner mehr da, mir war, ich müßte völlig allein im

Dunkeln sitzen und mich zerschlagen lassen. Gebrannt hatte es, Krieg war, der Mann in bitterer Feigheit geflohen, in wahnwitziger Angst und Verstörung nur immer sich selbst davongerettet, jetzt trieb er mit Flüchtenden auf einem Boot, auf einer Wüste von Wasser, grau und ölig, die Flüchtenden lagen wie tot vor gänzlicher Erschöpfung oder hingen mit abgewendeten Gesichtern über den Bootsrand. Als es gegen Morgen ging, löste sich einer langsam und ließ sich ins Wasser gleiten und der Mann saß da und sah alles an und rührte sich nicht und das Gleiten verplätscherte dumpf und der Morgen kam stärker und die Wellen trieben größer gegen das Boot und jede Welle war so schwarz und aufgebläht und jede Welle war ein Toter den das Meer nicht mehr verdaute, in schwarzen Packen trieben sie daher, aufgeschwommen, unabsehbar, Marusalinakarinundmaru

Im umzäumten Hofplatz schlugen die spärlichen Sträucher aus. Das Märzengrün zitterte vor den stillen Mauern und die Wollknäuel, die den strikkenden Frauen entrollten, leuchteten im Frühling. Ich lehnte zum Fenster hinaus, wie lange war ich schon da, man lebte hier gedankenlos, nur noch ganz Wahrnehmung. Oder dann schlugen einem Bilder entgegen, die unerklärlich auftauchten, plötzlich wieder den ganzen Körper füllten, man war nur noch Lauschen, nur noch Vibrieren in den wachsenden Farben, das Meer. Das andere. An den Extremen leben. Das blaustürmende Meer unter den apuanischen Alpen. Silbrig kam es jeden Morgen hoch, die leeren Strandstühle flatterten wie verlorene Möven im Sand. Ich möchte einmal nachts hinausschwimmen, kommt ihr mit, fragte ich Silvio und Francesca, um Mitternacht, Francesca schüttelte es bei der Vorstellung, bist du übergeschnappt, um Mitternacht, wenn die Quallen hochkommen. Sie goß sich Sonnenöl auf die Beine und streckte sie starr in die Luft, Silvio fand es abenteuerlich, jedenfalls standen wir in der Nacht alle am Meer. Wir buddelten uns vorerst in den Sand, an der Oberschicht war er schon sehr überkühlt, aber in den tieferen Schichten noch ganz sonnenwarm. Das Meer lag schwarz da, weit draußen bleiche Schimmer wie von nirgendwoher. Francesca biß an den Fingernägeln und rollte die Augen, sie war nicht zu bewegen, Silvio streckte dramatisch die Zehen zwischen die Wellen, er spielte den Entsetzten, was für eine Mordskälte, da gehen nur noch die Hunde oder die Deutschen ins Wasser. Ich warf mich hinein und schwamm hinaus. Das Wasser lief seidig lau über die Achseln. Manchmal streiften mich flüchtig kältere Strömungen, der Strand hinter mir war umrißlos versunken. Die anderen riefen noch, aber es verhallte bereits. Eine unbändige Herrlichkeit hatte mich ergriffen. Was lag an den träge hochschaukelnden Quallen, an den dunklen Tieren, die unter mir hin und her eilen mochten, alle Furcht zersprang mir gläsern zwischen den Armen und kräuselte sich auf über der stillen Fläche, ich schwamm vorwärts und vorwärts und mochte nicht mehr zurück, den Mund, die Zehen, die Ohren, alles von diesem Wasser durchrieseln lassen, weit draußen die bleichen Schimmer aufbrechen, mit eiligen Armen, weit hinter der Schwärze in tobender Fröhlichkeit. Lange danach wurden die Punkte lebhafter am Ufer. Marusa steht dort und Lina und Elsi und Karin, sie schwenken ihre roten Taschentücher, und schnellstens schwimmst du zurück, die Anstalt ist aufgehoben! Wir ziehen in die Stadt und wohnen an den Plätzen und schlagen unsere Gärten auf mitten im Verkehr, Marusalinakarinundmaru, marusalinakarinund

Das spöttische Gesicht, das Sie haben. (Sie veraltete Traumfabrik Sie, steht darin, Sie Saboteurin der intellektuellen Redlichkeit. Was schlagen Sie für verrottete Erwartungen an. Beim heutigen Vormarsch der Ideologien. Der überhand nehmenden Einförmigkeit. Den endlich ausrichtbaren Reaktionen. Unterstehen Sie sich! Diese Farben in die Luft zu schleudern, diese Föhnlichter. Ist Ihnen die Methode der Unterkühlung völlig fremd?) Wie das kitzelt bis unter die Haarwurzeln, wenn Sie so daherreden. Wie sich die Flut der Verneinung anstaut in mir. Hat man je ohne die Inbrunst weit heraufglühender Farben erstarrte Verhältnisse gesprengt? Schwören Sie auf eine verkümmerte Welt? Sie Imperialist der Skepsis. Sie Kapitalist der Zweifel. Sie Herrschaftsinstrument des Zynismus. Danke ergebenst für Ihre Ratschläge. Sie wollen in jedem Satz das erkaltende Dasein wiederfinden. Nachgedoppelt sehen, wie alles auf den Hund gekommen ist? Permanent Ihren Zynismus vergötzen? Das wäre der Verkümmerung zuviel Anerkennung, zuviel Beifall gespendet. Das wäre nur eine neue Glaubensverschiebung. Eine neue Systemhörigkeit. Ich lasse mich gerne bis zu den Fußsohlen durchrütteln, ich bin begierig auf Spaziergänge durch den Scharfsinn, durstig nach entwirrender Intellektualität. Aber lassen Sie mich noch einmal in diesem Ton, der anrüchig geworden ist, in diesem scheu bedrängenden Ton die banalsten Sachen sagen. Diese Unglaubwürdigkeit von Leere und wilder Süße aufziehen. Als könnte alles erst beginnen. Aufflattern. Im Glanz stehen. Einen Schnitt durch die Zeit ziehen. Und sich darin wundern. Morgen wird demonstriert. Oder bin ich feige geworden. Oder muß ich herausschreien, wie von einer neuen Enteignung bedroht

Gesucht wird, was eilt und rennt und rast und hastet und hetzt, gesucht wird eine aktuelle Person, ein Seismograph unserer Hektik, unserer Erschütterungen, die gar keine mehr sind. Nur noch Kurzatmigkeit. Nur noch Zuckungen. Aussteigen! Den Streik des Fortschritts ausrufen. Eine weiße Leerstelle schaffen, wo sich alles wieder isoliert und sich alles wieder verbindet, sich ausdehnt und zusammenrafft. Diesem Gewimmel die ruhige tiefe Eile entgegensetzen, die durchs Innere der Welt führt. Wie Ihr Spott überbordet vor einem solchen Begriff! Doch wie jene die Geschichte stoßkräftig erhalten, die ihn zur blauen Linie ihres Horizontes gemacht haben. Wir wollten uns auf dem Monde ansiedeln, jetzt ist uns alles zum Mond geworden. Gleich entzaubert und bleich und ausgewaschen, ein fader Kuchen, den niemand mehr essen mag

Luzidität beim Aussteigen. Nicht zuviel Maßlosigkeit. Eine Prise von dem und eine Messerspitze von jenem und manchmal eine lachende Handvoll dazu, die Köche des Fanatismus haben die Geschichte verdorben. Mach aus deinem Herzen keine Mördergrube. Sie entwaffnen mich, wenn Sie so herschauen. Ich bin kein Anspruch, aber es könnte einer wachsen. Ich werde mir noch ein wenig Giftigkeit zulegen müssen und ein bißchen bösen Witz. Vorderhand durchschwirren mich flugbereite Minimalitäten, oder soll ich Verwirrungen nachhangen, die Zeit kann lang werden bis morgen

Eine ganz triviale Verwirrung. Paris blanc oder der Exkurs ins Frivole. Die gesetzlose Reise. Aber sie gehörte nicht hieher. Nicht dieses Unentwickelte, diese Verschwendung, diese Blase dreier Monate, ziellos aufgesetzt der übrigen Zeit. (Oder erst recht?) Diese feine Blase, völlig heimatlos treibt sie in der Erinnerung, von nirgendwoher gefüllt und nirgendwohin zeigend, geräuschlos ist sie zersprungen. Ist Fragwürdigkeit so eine geräuschlose Blase, so eine subtile Entfremdung, langsam wächst sie und hat überall Platz und verzieht die Ränder der Dinge, aufgeblasen mit nichts stehen sie in der Luft und platzen unhörbar

Was willst du mit dieser Blase morgen. Sie ist kein Material. Nein. Sie ist der winzige subversive Hohlraum in deinen Zuwendungen, deiner Entschiedenheit. Soll er fehlen morgen? Kann man auf Fragwürdigkeiten mit Fingern zeigen ohne sie zu kennen, kann man sie kennen ohne selbst fragwürdig zu werden, muß man fragwürdig werden, um Sicherheiten scharf zu entdecken? Haben Sie je einen Aufsatz über die Fragwürdigkeit menschlicher Rechtssetzungen, menschlicher Strafverfahren, menschlicher Liebesformen gelesen und wurden verunsichert bis in die verlöschenden Bewußtseinskreise Ihres Schlafes hinein. Ich habe solche Beweisführungen immer mit seltsamer Stumpfheit registriert. Aber eine Straßenbiegung, ein beiseite geschobener Stuhl, ein verschlossenes Achselzucken konnten sich plötzlich mit Signalen aufladen, eine Spirale aufsteigender Blasen auslösen, die eine ganze Lebensform durchbrechen, zum Zerfließen bringen. Ihre kämpferische Bedeutung. Eine kleine Röte. Wie belanglos sie begann

Ich hatte längere Zeit in einem Elektrikergeschäft gearbeitet, um fortzureisen. Nun fuhr der Zug durch Südengland, hielt in kleinen, braungewölbten Bahnhofshallen. Bei uns in der Schweiz fahren die Züge hochspurig in den Stationen ein, mit gespieltem Hochgefühl schaut man auf die Menge der neu Hinzukommenden hinunter, die aufgelöst über die Geleise den Zügen zustreben, oder muß selbst, mit Koffern beladen, eine gewisse Geschicklichkeit beim Hinausklettern entwickeln. Hier, in diesen abgelegenen Bahnhöfen Devons, wo meist ein Schwarzer das alte Stellwerk bediente, rollte der Zug in sanftem Anhalten weit unter dem Niveau des Perrons ein, so daß die Wagenfenster ebenerdig zu liegen kamen. Geschützt saß man in diesem Tiefstand, sah ruhig, wie aus einem schwach beleuchteten reisenden Haus heraus, den Ankommenden entgegen, die dann auf einmal im Abteil standen. Die Polster waren braun gemustert, Pappbecher schlitterten verloren durch die Gänge. Selten sprach einer, wurde hie und da eine Zeitung gewendet. Mit der weiteren Reise erreichte der Grad der Verschwiegenheit eine Höchstgrenze. Selbstvergessen eilte der Zug in die eintönigen Gegenden hinaus. Später lichteten sich die Felder, der Zug fuhr auf einem niedrigen Deich durchs Meer. Bei der Ankunft in einer offenen, von kleinen weißen Säulen flankierten Bahnhofshalle, wurde ich mit Hallo erwartet. Etwas betäubt schaute ich dem abrollenden Zug nach, der in einer leichten Dunstblase verschwand, ich wurde in einen Familienomnibus gestopft, highfamily-life, durch rasante Hügelwellen ging es zur Westella hinauf. Sie war, die Westella, sehr schmalbrüstig und mit roten Dachverschnörkelungen, an ein anderes Haus angebaut, das genau gleich aussah, ein auseinanderklappbares Doppelhaus. Vor der Haustüre, um ein gewaltiges Motorrad gruppiert, der Rest der Familie. Der Engländer, Besitzer der Westella, der an Herzbeschwerden litt und nach Fischköder roch, zeigte mit Genugtuung auf das Haus, dessen teilweise gesprungene Fensterscheiben mit Packpapier überklebt waren. Vor hundert Jahren hat ein Baron hier gewohnt, sehen Sie, kommen Sie doch herein, hier beim Kamin ist noch der Knopf, um die Dienstboten zu rufen. Der kleine runde Knopf, in halber Höhe des Kamins angebracht, fein emailliert und mit blaßblauen Hortensienblättchen überstreut, schien der Familie, in ihren Augen, noch einen magisch vererbten Hauch zu verleihen. Er wurde täglich geputzt und stand abends in einem matten, irrationalen Glanz zwischen den abgewetzten geschmacklosen Möbeln, dem pausenlos laufenden Fernseher, den auf den Boden gefallenen Resten der gebackenen Thonbrote

Die Zimmer waren wie auf permanenten Abbruch hin eingerichtet. Schränke gab es so gut wie keine, das meiste wurde in Kartonschachteln den Wänden nach aufgestapelt, die Wäsche zerknüllt in enge Schubladen gepfercht. Ich schlief mit den Geschwistern zusammen, mein Bett stand neben demjenigen von Marianne. Marianne erfüllte mit Würde ihre Rolle als Insulanerin. Abends schaute sie mit ihrer Stupsnase aus ihrem rosa Nylonhemd undurchsichtig zu mir herüber, in ihrem Hirn schien sich die Studie über das kontinentale Wesen, das ich war, zu betätigen. Sie arbeitete auf dem Postamt der kleinen Hafenstadt, aber ihre Arbeit schien ein Tabu zu sein, sie äußerte nie ein Sterbenswort darüber. Das rötliche Haar hatte sie zu einem dünnen Schwanz zusammengebunden, und sie litt unter ihren Sommersprossen. Seit dem vielgesungenen »So long, Marianne« trug sie zwar ihre Stupsnase wieder selbstbewußter und zog öfters in ganz unerwarteten Momenten einzelne Töne der Melodie sehnsüchtig durch die Nase. Wenn ich abends heraufkam, lag sie meist schon bewegungslos im Bett oder hatte gerötete Augen oder drehte in selbstvergessener Manier eine Haarlocke. Nachts begann sie oft laut zu seufzen und wenn ich mich dann zweifelnd aufrichtete und fragte, ob ihr etwas fehle, schaute sie erstaunt mit grünlichen Kuhaugen herüber und sagte gelassen, es gehe ihr sehr gut. Die ganze Familie schien zur Unzugänglichkeit geboren zu sein. Ich lebte in dem Haus, als hätte es gar keine richtigen Fußböden. Arbeit und Geldsorgen und spontane Bekümmernis schienen nicht zu existieren, füllten dafür aber als verschwiegene Größen um so nachhaltiger die Pausen des Familienlebens aus. Neben der permanenten Abbruchstimmung lief parallel eine merkwürdig festgenormte Lebensauffassung, ein ungeschriebener Kodex von Anständigkeit und Wassichgehört, der eine ebenso ungreifbare Herrschaft ausübte, wie die Königin Elisabeth immer noch tagtäglich auf den Briefmarken der Post ins Haus schwebte

Diese Ungreifbarkeit ging wie eine langsame Anstreckung in mich über. Auch die wild verwachsenen Erdaufschüttungen hinter der Westella, von der Familie als Garten betrachtet, hatten etwas von dieser unauffälligen Bodenlosigkeit. Sie bildeten einen kleinen Hügelkamm, ruhig blitzte das Meer rundherum. Wenn man den Kopf zur

Hälfte nach unten drehte, hätte es ebensogut der Himmel sein können, alles war vertauschbar. Die Reihenhäuschen der Hafenstadt lagen reglos in peinlich gezogenen Kurven, wie im Land Gullivers, man wartete nur auf die große Hand, die, überdrüssig des Spielzeugs, alles hinwegräumte. Aber die Hand kam nicht und Gulliver war nur eine Wolke am Himmel, die geduldig zerfaserte und Te und ich saßen auf dem Hügelkamm. Es war die Zeit der Bohnenblüte, die Schößlinge trieben kraus in die Luft. Te fing die nervös herumflatternden Kohlweißlinge und steckte sie mir in die Kleider hinunter, das fühlte sich an wie sein Kraushaar, und ich ließ sie zwischen den Knöpfen der Bluse wieder davonflattern. Zwischen den willkürlich gesetzten Bohnenstangen ragten halb in die Erde versunken zwei alte Polstersessel der Familie, die immer noch über ihre Bestimmung, sich in einen Komposthaufen umzuwandeln schwankten, und vorläufig unverwandt zum Sitzen einluden. Bei Regenwetter quollen sie unheimlich auf und quietschten noch tagelang, wenn man ihnen zu nahe trat. Es lag sich königlich in den schiefen Polstern, und irgendwo war der Hügelkamm nirgends mehr befestigt, schwamm in der Luft, Gulliver zerfloß nachsichtig in den Wolken und Te lachte und zerzauste mir das Haar und steckte mir Bohnenschößlinge ins Ohr. Er war ein paar Jahre jünger als ich, vor ein paar Tagen aus Paris angekommen und wohnte nur ein paar Dörfer weiter. Sein vierzehnjähriger Bruder Thierry, der lange Luc aus einer flämischen Stadt und ich, wir waren schon länger zusammen bei den Wills in der Westella. Eines Nachmittags, wir waren im Familienomnibus ausgefahren, steuerten wir gegen Kingskerswell, Thierry streckte seinen Wuschelkopf zum Fenster hinaus und hielt mich an, auf der anderen Seite ebenfalls das beschriebene Haus zu sichten, wo sein Bruder nun eingetroffen sein mußte, er stand mit Freunden vor der Eingangstüre und der Wagen hielt. Ohne sich zu verabreden stieg man nicht aus. Wir blieben hinter den nur wenig heruntergelassenen Scheiben sitzen, man musterte uns wie ein ausgestelltes Aquarium. Du tippst den Finger ans Glas und beobachtest, wie die Fische erschrocken weghuschen, aber einer bleibt, hält den Fingerblick aus, es könnte zwar ebensogut ein anderer Fisch sein oder dieser könnte ebensogut von einem anderen Fingerdruck gegen das Glas angezogen werden. Te und ich trafen ohne Abmachung ganz bewußt eine Wahl und ohne Abmachung wußten wir zwar beide nicht weshalb und wozu, es war unsinnig und grundlos, aber es war eine Bewegung in dieser Blase England. Ein paar schnell wahrgenommene äußere Zeichen hatten genügt, um eine Illusion zu bevölkern, die baute nun ihre faszinierenden Helligkeiten und trieb das Unglaubwürdigste fächerartig hervor. Wir erfanden uns auch diese mechanistischen Abläufe von Mißverständnis, Rückzug, Abwarten und Versöhnung, diese Spielarten einer kaschierten Langeweile, gegen die ich als bürgerliche Zwangsvorstellungen sonst immer nachdrücklich mißtrauisch gewesen war. Daß diese Skepsis völlig dahin fiel, war eine Umkehrung mit anderen Vorzeichen, denn die selbstverständliche Frage, was würde der andere Te in Zürich, Te zurückgelassen in der Schweiz, dazu sagen, fiel mir schon gar nicht mehr ein. Mir fiel überhaupt nichts mehr ein. War ich denn vorher irgendwo gewesen, hinter mir war die Erinnerung zerronnen, der große Gulliver hat alles weggeräumt, wie schön, so gesetzlos zu reisen. (Dabei hatten wir uns ungetrübt voneinander verabschiedet, Te in Zürich und ich, wie die Omeletten flogen, duftend und gelb und ich stand mitten drin. Du warst so gut, wenn ich dir nachts bei offenen Fenstern den Schlaf fortredete, schautest besorgt unter meinem Haar nach, ob es da oben in meinem Kopf noch nicht heißgelaufen wäre und nächstens hinausrauche, jetzt denkt es aber wieder, stelltest du fest. Wie die Omeletten duften, komm wir fahren auf dem alten Roller zum Katzensee.) Ich stand unter einem völligen Gedächtnisschwund

Mein Gedächtnis war eine Blase geworden, alles bewegte sich bodenlos darin, setzte von nirgendwoher den Fuß in den Tag, überraschend. Herkunftslos. Das Haus hätte jeden Moment wie ein Kartenhaus zusammenfallen können, obwohl die Familie so unempfindlich darin lebte, als verblieben ihr noch hundert Jahre ohne Veränderung. Nichts mahnte so gesammelt an die Langeweile, die hier wie ein undurchdringlicher Hohlraum um jeden Gegenstand lagerte, als wenn in den endlosen Nachmittagen das schwache Aufprallen der Billiardkugeln durchs Haus tönte. Stille. Dann ein gezielter Schlag, das Abrollen der Kugeln, ein helles, dann flüchtigeres Aufeinanderstoßen, das kurze Ablegen des Spielstockes. Ein letztes, zielloses Hin- und Herrollen. Dann wieder Stille. Der Billardtisch befand sich in einem eigens dafür bestimmten Zimmer, das, neben dem einstigen Knopf für die Dienstboten, am meisten das Ansehen der Familie hob. Herr Wills hatte dort auch einen kleinen Bierausschank eingerichtet, wo auftauchenden Besuchern kaum schäumendes und kaum genießbares Bier, frisch ab Faß, verteilt wurde. Zwischen den aufgereihten Biergläsern glänzte ein großer kupferner Sechsmaster. Die verschossenen Tapeten waren leer, nur in der Mitte lachte Vater Wills mit breitem Gesicht aus einem Foto, Vater Wills im Sudan, in Militäruniform. Zur Kriegszeit. Daneben ein gemaltes Bild, das Meer, einfach nur das Meer, Wellen, einfach nur heroische Wellen, sie hatten zwar etwas Gestricktes an sich, ich habe noch öfters richtige gestrickte Meerbilder gesehen

Am Abend lehnte Frau Wills in uneingestandener Erschöpfung am Bierausschank und verweigerte das Abendessen. Wie gewöhnlich hatte sie eine Riesentüte noch heißer Pommes frites mit geschlagener Mayonnaise mitgebracht, ihr ganzer Arbeitstag bestand aus Pommes frites und Mayonnaise, die sie zu verschiedenen Gewichten den

Touristen verkaufte. Öl erhitzen, die schwimmenden Kartoffeln fischen, abtropfen lassen, Tüten herrichten, Tüten füllen, Mayonnaise in S-Form darüberdrücken, Tüten aushändigen, Öl erhitzen, die schwimmenden Kartoffeln. Daneben arbeitete sie noch für ein Pullovergeschäft. In der Küche häuften sich Stöße von pastellfarbenen Pullovern, die Reißverschlüsse mußten eingenäht werden. Ich habe einmal das Pullovergeschäft gesehen, ein schmales Schaufenster, vollgestopft mit Pullovern und verschiedenen Preislisten, auf den ausgebreiteten Pullovern marschierten gescheckte Porzellanhündchen. Die Pommes frites klebten aneinander, Luc mimte hinter dem Tisch einen Gewürgten und Thierry schwärmte auf französisch laut und mit Hingabe von der Pariser Küche. Eh Gertrude, on va bouffer à la ville, er stieß mich unter dem Stuhl sachte mit dem Fuß an. Woran denkst du? Mit Frau Wills reden. Nicht den Insulaner, nicht die Kontinentler spielen. Was ist das schon: von irgendwo herkommen

Sich durch englische Sonntage mausern. Wir gingen oft in das große Moor von Devon. Der Regen tropfte zwischen den niedrigen Büschen, in den Farnwäldern versanken wir bis über die Schultern. Einmal kamen wir auf eine karge Hochebene, kein Baum mehr, fast kein Strauch, in einer grauen Mulde stand das berüchtigte alte Gefängnis. Hier endeten die Schwerverbrecher. Das ganze Hochland schien zu einem unförmigen Fasten verurteilt, wieder das Erstarren in der großen Passion, vereinzelt blieben Leute in Entfernung halb scheu stehen und betrachteten schweigend diese tief im Moor verborgenen Folgen einer noch fast dämonischen Rechtssetzung. Lebt jemand hinter den Mauern, wer und wo und wann haben wir ihn dazugebracht, in unendlich zäher Stoßrichtung immer gegen das Moor, abgetrieben, hinausgedrängt, früh haben wir begonnen, ein Kinderreim zieht zerstückelt durch die Mulde. And than she went to the prison, to the prison, to the prison. Das sind die Kindergesichter aus Alice im Wunderland, viel länger aber noch sind die Hälse geworden, wie grausam haben unsere Augen geglänzt, wenn der Schwächste im Kreis saß, ausgestoßen, den Kopf auf den Knien vor Scham, und zackig ging es in der Reihe rundum und Triumph und Verachtung fieberten mit, zerstückelt zieht der Reim durch die Mulde

Wir müssen mit den Wills reden, Te. Den französischen Hochmut begraben. Die spöttisch gehüteten Reserven meine ich. Schön ist Frankreich, will sagen die leichtfüßige Willkür, die helle Nonchalance, die laszive Müdigkeit, aber was hilft's, der Schein von Saint Germain ist trügerisch geworden und Paris durchlöchert. Aber wir haben nicht geredet, wir haben den Sonntag mutlos verstreichen lassen, wir sind Frau Wills ausgewichen, wenn sie in der Dämmerung erschöpft ins Haus trat. Wir haben uns in den Bus gesetzt und rollen nach Kingskerswell, zu einem Rennen mit alten ausgedienten Vehikeln. Luc schildert schon jetzt das Aufeinanderpuffen der klappernden Cars, um sechzehnuhr beginnt es, bin ich verrückt geworden, das Moor ist eine kurze Agonie. Jedes Tagverbringen ist mir recht, jede Langeweile, stundenlang sitze ich auf Holzlatten und lasse die Beine schlenkern, muß ich denn etwas nachholen, eine fraglose Blase von früher, von irgendwann. Weiß das Te? Daß ich älter bin aber auch unersättlicher als man mir zutraut, daß ich keine gerade Entwicklung habe, sich mir alles vor- und rückwärts verschiebt, keine Kontinuität mehr, tut mir leid, verwildert ist sie und abgebrochen. Jetzt schlittern die Cars auf die Rennbahn. Eine ovale Bahn im Feld improvisiert. Die alten Vehikel sind mutwillig montiert, mit verrosteten Blechaufsätzen gepanzert, die Motoren klaffen offen, und alles ist phantastisch bemalt. Riesige grüne Eidechsen und schillernde Drachen kullern daher, kleine Hupfer und gefräßige Krokodile. Abrupt wechselnd zwischen wackligem und mörderischem Tempo entwickeln sich die wirrsten Verfolgungen, die Pneus kreischen, die aufeinanderdonnernden Motoren rauchen aus offenen Mäulern, die höchstmögliche Aggression ist erlaubt, ein penetranter Gestank von verbranntem Gummi kriecht einem in die Kleider. Valable! schreit Thierry begeistert, dann schielt er zu mir hinüber und lacht. Wir sehen uns kaum mehr im qualmenden Dunst, und unten zucken die Vehikel aus, tuckernde sterbende Käfer

Thierry ist elektrisiert. Thierry ist popverrückt. Thierry simuliert einen Haschrausch. Im Bus zurück, hinter Kingskerswell, wirft er in juckenden Rhythmen den Kopf hin und her, trommelt mit den Fäusten auf seine Jeans, draußen fliegen die Reihenhäuser trostlos vorbei. Sein Zimmer ertrinkt in einer Flut von Pop-Plakaten, Thierry hockt im Arabersitz am Boden und schüttelt in erfundenen, atemlosen Stößen sein Wuschelhaar. In der High Street des Städtchens bummeln wir durch die Popläden, aber da ist nichts mehr von reißerischem Aufbruch, we go to Woodstock, da ist alles fauler Zauber geworden. Fetischisten, knurrt Te ingrimmig. Falsche Hippies handeln mit nägelbesetzten Lederjacken und Leibchen, Kleider mit künstlich aufgesetzten Flicken baumeln zu schwindelnden Preisen herum, Manon's shop für Seiltänzer, go-go-girls, Raubtierdompteusen und Sado-Masochisten

Te kam öfters aus Kingskerswell zu unserem Abendessen. Einmal ließ er den Pullover bei uns liegen, den noch seine Mutter gestrickt hatte, eine grobe blaugrüne Wolle, wie gut er roch, zum Hineinkuscheln gut. Ich kann hin sein von Gerüchen. Wenn sie kräftig und gut auf einen zuwehen, man möchte die Augen schließen und zergehen darin. Wie stolz ich war als Kind, in Unmengen zu schwitzen, mein Vater verstand sich vortrefflich aufs Schwitzen, die mächtigen feuchten Kreise auf seinen Hemden betrachtete ich mit neidloser Verehrung. Meine Schwester und ich trugen im Sommer dieselben gestärkten blauen Blüschen, auf denen sich das Schwitzvermögen aufs genaueste bekundete. Die Ausdehnung ließ sich nach Millimetern bemessen, und ich konstatierte jedesmal mit Genugtuung, daß ich meine Schwester weit überflügelte und die Ringe unter meinen Achseln sicher binnen kurzem so groß wie die meines Vaters wären. Und wie mein Onkel schwitzen konnte! Jahrelang verbrachten wir bei ihm im alten Pfarrhof die Sommerferien, an klaren Tagen ließ man den Heinrich mit seinem unförmigen dunkelblauen Auto aus dem Dorf heraufkommen und er fuhr uns in die Berge. Mein Onkel ging umsichtig voran, das Gesicht braun von der Sonne, langsam wuchsen ihm kristallene Schweißtröpfchen ums Kinn, eins ums andere, unaufhaltsam, wie das glitzerte, er schritt aus wie ein silbriger Patriarch, wie unter Josua zogen wir ins gelobte Land, es konnte einem nichts mehr geschehen

Der Pullover von Te fühlte sich blaugrün und übermütig an, wie kam er dazu eine solche Farbe zu tragen, das ist eine Geschwisterfarbe, war das nicht auch wie eine heftige geschwisterliche Zuneigung zwischen uns, auch wenn man sie bei den richtigen Geschwistern nie erlebt hätte, immer hat ihre Vorstellung etwas utopisch Verlockendes. Unter fremden Menschen sucht man später seine Geschwister und entführt einander in Bewußtseinsfernen, in die wir sonst mit niemandem gelangen können. Oder lag etwas sehr Jungenhaftes in Te, und ich spürte mich viel älter, wie sollte ich es wissen, ich bin ratlos in solchen Dingen, aber immer huschte etwas frivol Verzaubertes darin. Manchmal schaute mich Te an, als müßte ich etwas erklären, als müßte ich Rätsel lösen, warum kann man einander nicht gut sein, ohne daß diese Forderungen entstehen, diese Leistungen erbracht werden müssen, dieser Zwang zum Konkreten

Irgendwo in mir, zuinnerst, ist kein Widerstand, keine Bewegung, stehen flammend rote Mauern geschlossen im Mittag. Ohne Forderung da sein, mit den Gegenständen gläsern erlöschen, lineare Durchsichtigkeit werden. Und sich über Nacht wieder vertauschen. Te. Warum sind wir so asymmetrisch. Ist alles asymmetrisch? Wer meint, im Kreatürlichen, da gäbe es noch unmittelbare Übereinstimmung, ist das nicht eine Täuschung? Wir müssen uns Kenntnis aneignen über die Asymmetrie, aus ihr eine Verwandtschaft machen. Wir tanzen, um uns fremd und verwandt zu werden, Te. Das Lokal ist niedrig und stickig, in englischen Kleinstädten tanzt man viel und billig, man steht in einer Schlange, bekommt einen Stempel auf die Hand gedrückt und schon strudelt man fort in die Musik. Die Diskothek ist mutwillig. Alten Rock and Roll! rufen die französischen Jungen. Te und ich haben uns eine Fläche freigetanzt, wir lachen wie die Wilden, schütteln die Handgelenke, abgerissene Synkopen, die halben Drehungen in rasender Geschwindigkeit, in Paris tanzen wir nur noch das, ruft Te zwischen zwei blitzschnellen Wendungen, die Engländer sind an die Wand gerückt, sie schauen uns etwas zweifelnd zu, ils sont fous ces français. Wir fantasieren. Thierry und Te werfen mit gespannten Fingern monströse Figuren in die Luft. Die Schlagzeuge hämmern. Wir tanzen das Moor, wir tanzen das Gefängnis, wir tanzen die Westella, wir tanzen die krausen Bohnenblüten und den großen Gulliver und unser Gesicht und unsere Hände und unsere losen Gelenke. Te ist braun und schimmert von hellem Schweiß, Te ist hingerissen, er tanzt Paris und Nichtparis, wir tanzen uns und nichts von uns und haben fortgelacht und fortgewirbelt was ist und was alles noch kommt

Thierry hat sich einen Schnupfen geholt als wir heimgingen. Wir dampften vor Ausgelassenheit, er hat sich der Länge nach in den kalten Sand gelegt und war nicht mehr fortzubewegen. Nun sitzen wir in der ebenerdigen Küche vor einem heißen Glas Tee, trübe regnet der Tag aus, den geschlossenen Fenstern nach tropft es in den Abend. Wir sitzen allein, die Familie ist zu den Nachbarn gegangen, dort sitzen sie auch um den Tisch, nachdenklich, mit abwesenden Gesichtern über ein eintöniges Buchstabenspiel gebeugt. Thierry hält den verschnupften Krauskopf über den dampfenden Tee, wir löffeln Honig hinein, er schlängelt sich wolkig dem Boden des Glases zu. Warum füllt es mir den ganzen Körper mit unerklär-

licher Fröhlichkeit, Thierry beim Teetrinken zu-
zusehen. Ich würde nachher auch nach Paris
kommen, Thierry ist überzeugt davon, kreisen
wir jetzt nicht langsam durch das trübe Regen-
dunkel, warum sollte ich nicht nach Paris gehen,
ich bleibe in Paris, mein Gedächtnis ist über dem
Bohnenhügel weiß zerflossen, ist nirgends mehr,
wir kreisen in der Blase England um die Erde und
sitzen zugleich im ebenerdigen Licht, wie seltsam,
daß nun, wo alles lose, alles möglich ist, mich dieses streift: völlig daheimzusein

Sitzen die Wills immer noch vor dem Fernsehen.
Es regnet und regnet, das Wasser wird steigen im
Moor und immer sitzen die Wills vor dem Fernsehen. Ich glaube, Frau Wills sieht nichts, vor ihren Augen schwimmen die Pommes frites im Öl,
fischen, abtropfen lassen, Herr Wills sitzt halb
eingenickt neben dem Kamin, über seiner Glatze
glänzt matt der Knopf für die Dienstboten. Was
geboten wird, sollte eigentlich ein Unterhal-
tungsprogramm sein, in regelmäßigen Interval-
len lacht ein unsichtbares Auditorium, es lacht in
haltlosen kichernden Schüben. Auf der Szene
schneidet jemand eine Grimasse und das unsichtbare Auditorium plustert und verschluckt sich
vor Lachen, was sind wir Engländer für ein
selbstironisches Volk, das unsichtbare Auditorium schnattert vor Belustigung. Die Wills sitzen
todernst da, es wird ja bereits vorgelacht, alles in
der Konzession inbegriffen. Schließlich rafft sich
Marianne aus ihrem Sessel auf, sie lutscht an ei-

nem Ende ihres roten Haarschwanzes, und stellt
den Sender um. Kriegsfilm. Ein alter Streifen.
Die üblichen Konstellationen. Schwarzweißfiguren. Heroische Erinnerungen. Wieder ein bißchen Grauen schlürfen, zwischen langen Tee-
schlücken und Cakesrosinen. Die heilige Abneigung gegen den alten Kriegsfeind auffrischen. Ich
mache ein paar abfällige Bemerkungen, aber
selbst Te und Thierry starren wie gebannt, ich
gehe in den oberen Stock und sitze im Dunkeln
auf dem Bett. Es gibt Bilder, die wir nie mehr ab-
schütteln können, aber sie sind anders beschaffen,
in erfindungsreichen Spielfilmen tauchen sie
kaum auf. Es sind Bilder, denen jeder Zusammenhang fehlt, herausgerissene Totalen, deren
Schock sich erst nachträglich verdeutlichend in
uns frißt. Dezembernachmittage. Die Zeitungen
rascheln, ich sitze im Arbeitszimmer meines Vaters am Boden, in der Wohnung knistert es von
heimlichem Schnee, die Wohnung ist wie eine
große erwärmte Mandarine, sie wölbt die Scheiben auseinander in gedämpftem Licht. Ich raschle
still mir selbstüberlassen zwischen den Zeitungen
herum und türme für meinen Vater kleine Beigen auf. Ich baue einen ganzen Innenhof um
mich, und rund zusammengebogen liege ich zwischen den getürmten Beigen und höre den Mandarinenduft wandern. Ein hohes schmales Gestell
begrenzt als Festungsturm meinen Hof. Dort
steckt eine gelbliche Broschüre, ich ziehe sie hervor. Der Schneefall baut unsichtbare Mauern.
Eine gelbliche Broschüre. Alles dicht beschrieben,

ich kann noch nicht gut lesen, einmal buchstabiere ich das Wort Theresienstadt. Theresien. Ist das ein sagenhaftes Land. Ist das eine Heiligengeschichte. Liest denn mein Vater Geschichten über eine heilige Theresia. Der Mandarinenduft zittert unhörbar. Ich blättere. Plötzlich ist da eine Fotografie. Alles aufgetürmte Schuhe, denke ich, vielleicht kam die Theresia aus einem Schuhmacherladen, was für seltsame Schuhe, Stiefel wie Arme und Beine, Fersenballen wie Köpfe. Sind das Augenhöhlen, nackte Rücken, etwas Furchtbares saugt mich aus dem Bild an, ich starre und starre, sind das Menschen, alles tote nackte Menschen, aufeinandergeschichtet, ich kann nicht mehr atmen, Theresienstadt, was ist das, irgendwo steht noch das Wort Konzentrationslager, was ist das für ein entsetzliches, unbegreifliches Wort

Der Regen hört nicht mehr auf. Aber das ist kein Englandregen mehr. Das ist ein Allerweltsregen. Ist denn jetzt Sommer. Junijuliaugust. Wir laufen in den Winterkleidern herum. Schon wochenlang. Meine Sommerblusen hangen im Schrank wie die vergessenen Requisiten eines Traums. Wir stehen mit aufgeschlagenen Kragen an den Sandstränden, das Meer ist fast schwarz. Wolken bauchen sich wie Atompilze darüber, das alte Europa verpufft sich, pufft seine Gase und Gifte in die Luft. Wir haben den Sommer verwüstet, wir haben die Atmosphäre aufgestört, wir versenken tödliche Strahlungen in die Meere, wir explodieren das Erdinnere auf. Wir haben alles besudelt, alles verwüstet, wir Kriegsgewinnler. Zieht noch einmal ein Sommer herauf, heiß und tief und ungebrochen. Oder Sommer: ist das eine Legende geworden? So etwas wie eine biblische Verheißung. Werden sich später die Leute ebenso nichts darunter vorstellen können, wie als wir lasen vom Land, das von Milch und Honig fließt

Thierry brachte die Neuigkeit vom Popkonzert heim. Es war eigentlich draußen geplant. Aber der Regen. Nun würde es in der großen Halle am Quai stattfinden. Wir gingen ziemlich früh hin, die Trottoirs waren bereits belegt, braun und pelzig sah alles aus, Wildleder von den Ohren bis zu den Zehen, dazwischen das neue verschossene Jeansblau, Armutsimitationen, man würde schön herausstechen, wenn man beispielsweise seinen alten grauen Wintermantel trüge. Polizei war nur wenig da. Dann sprangen die Eingangstüren flügelartig auf, wir strömten und schubsten und schlängelten uns hinein, wir kauerten uns fest zusammen, im Nu war der ganze Boden besetzt. Dichte Gruppen drängten sich auf den hochgelegenen Fensterbänken. Ein friedliches Summen schwoll durch die Halle, man ahnte bereits wie die Luft dünn wurde. Scheinwerfer strahlten auf, die Begrüßungsrufe der Auftretenden gingen in einem betäubenden Getrampel unter, tosend setzte die Musik ein. Die Luft wurde immer stickiger. Die an den Wänden lehnten, schlugen in wild benommenen Rhythmen den Kopf gegen die Mauer, das Tosen entfesselte allen Schweiß, rauchig zerschwammen die Lichter der Scheinwerfer. Ich kauerte zwischen Luc und Te und Thierry eingeklemmt, eine unbestimmbare Begeisterung hämmerte mir aus allen Poren, ein Orkan war über uns losgebrochen, war das eine irrsinnige Täuschung, ein mit Mikrophonen nur verhundertfachter hohler Schall, oder kehrte sich das Unterste der Erde zuoberst, die Halle begann sich hinter dem zuckenden Gedränge zu drehen

Die Scheinwerfer. Die aufgebrochenen Ränder der Via Cimabue. Wir gehen über die Sandstrände nachhause. Thierry und der lange Luc werfen sich Sand in die Haare und schütteln ihn unter wirrem Hin- und Hertrommeln des Kopfes wieder heraus, dann schlagen sie den kürzeren Weg zur Westella ein. Das Wasser wellt schwarz und verloren über den Sand, Te und ich laufen gegen den Leuchtturm hinaus. Hin und wieder taucht ein weißes Strandhäuschen auf, eines ist umhangen von einer Schnur mit schwankenden Glühbirnen. Warm und versonnen steht das Fenster offen. In einem langgezogenen Brett stecken auf Spießchen ganze Reihen von purpurroten Äpfeln, heiße duftende Äpfel, mit leuchtendem Gelee überzogen, wie kleine glühende Lampions stehen sie in der Nacht, wir halten lange davor, als würde uns Angst, weiterzugehen. Wie süß und dunkel einem im Mund das Innere des Apfels zerrinnt. Was willst du denn, Te. J'adore. Je déteste. Glaubst du, daß alles so leicht zu fassen ist, so leicht zu unterscheiden? Schwarzweißfiguren. Warum kann ich nicht einfach mit dir über die Sandstrände gehen. Ohne Entscheidung. Wir haben zu wenig Liebesformen, sie sind auf zwanghafte Punkte zusammengeschrumpft, immer nur noch dieser Sprung auf die Endvorstellung hin, dieser mechanistisch abschnurrende Verlauf. Du willst das totale Zugeständnis? Wie du mich an mich erinnerst, das wollte ich auch einmal, wie schwer muß ich damals den Menschen gefallen sein. Mit dieser eigensinnigen Radikalität. Du schaust so jungenhaft aus, Te, darf ich es dir überhaupt sagen. Daß uns die Totalität zertrümmert wird. Was ist richtig? Wir müssen erfinderisch werden, die Mechanismen aufsprengen, diese überkommenen und verkommenen Liebesmechanismen. Das Radikale in den Nuancen aufdecken. Großer krauser Te. Jetzt bist du verletzt. Du schaust sogar ein bißchen verächtlich. Ich sitze im Sand und mache mich lächerlich. Oder sollen wir uns ein wenig streiten. Soll ich dir vorwerfen: was bist du für ein unpolitischer Kopf! Was für ein Totalitätenschwärmer! Aber ich sitze im Sand und mache mich lächerlich, in meinem Kopf arbeitet es, ich muß dir das alles genau ausdrücken, aber du bist schon längst gegangen, ohne ein Wort, mit einem geringschätzigen Achselzucken, schwarz wellt das Wasser, die dürftigen Lampions sind erloschen

Ist die Blase zersprungen? Leerstellen kräuseln auseinander. Durch die aufgebrochenen Ränder: fasert etwas herein, was früher war. Ein Gewirr von Fäden rieselt wieder. Gedanken legen sich aneinander. Ich muß fort von der Westella. Reise durch Wales, der Regen rinnt in silbernen Strähnen über die Farne, irgendwo in einer kleinen Stadt werde ich bleiben. Die gelbschwarzen Lichter von Bath. In Bath bleiben. Gesichtslos durch die römischen Bäder laufen. Alleinsein. Ich würde jetzt keine einzige körperliche Berührung ertragen. Unablässig rieselt das Gedächtnis. Ich sitze in der Halle des römischen Bades, altmodisch geschwungene Teekännchen blitzen zwischen überquellenden Hortensiensträußen. Einmal hebe ich den Arm, um die Zuckerzange zurückzulegen, ich fühle wie der Arm sich hebt, ruhig geht seine Bewegung in mich ein. Ein greisenhafter Violinist zieht sein verträpfelndes Tremolo hin, mir kreiselt plötzlich ein lautloses Lachen den Mund herauf, ernüchtert laufe ich durch die Straßen von Bath. Honigfarbig sind die Häuser, mit scharfen Schatten in den Eingangstüren, Luft wie Glas über den Dächern, wieder weiß ich: diese rückhaltlosen gedanklichen Berührungen zu suchen. Bis zu einem Rande, wo alles andere zufällig und ziellos ist. Ich möchte nun schlafen in meinem Hotelzimmer. Es ist braun und unauffällig. Aber auch als das Licht schon erloschen ist, dreht sich in mir die Stadt weiter fort, bin ich denn schon im Zimmer hinter dem Quartier Latin, an der Place de la Madeleine, und noch im

Schlaf lassen mich die weißen Plätze nicht los, die Häuser vom ersten Herbstgelb durchzittert, Paris, die Rufe in den Untergrundbahnen. Ich habe dir alles erzählt, Te, vom Gedächtnisschwund, von den Umkehrungen, den Verwandlungen, von dem jetzt nicht mehr Zurückkönnen. Alles habe ich herausgesprudelt, und jetzt, wo du begreifst, kehrt sich mir alles wieder um, verwandelt sich in aufsteigende Blasen zurück, ich habe einleuchtende Erklärungen vor dir ausgebreitet, aber was ist richtig, habe ich etwas zerstört in dir, Te, warum muß ich mich in den Decken vergraben in diesem schmerzlich undeutlichen Schuldigsein

Wie denken Sie sich das Ende solcher Reisen. Begleitet von einem Schwall von Briefen, von komplizierten Entschlüssen, von Verzichten mit kühnen Stäubchen erfundener Moralität. Oder mit wenig Gepäck wieder zurückkehren. Mit fremden Augen den rotverschnörkelten Giebel der Westella wahrnehmen, immer noch mit jedem Fuß in der weichen grauen Stille, wo sich die Gedanken aneinanderlegen. Wenn es aber am nächsten Tag klingelt, wie es immer tat, Te draußen steht und lacht und einen umarmt und sagt, er sei verrückt gewesen, komm wir laufen gegen Kingskerswell. Da macht man ganz runde Augen und irgendwo in einem kracht lautlos ein schwindelnd verstrebtes Gerüst zusammen. Verwundert sieht man vor der größten Unberechenbarkeit alles verblassen, in einem Moment arglosen Lachens ist alles entrückt. Wer war es, der in Bath war, die gläsernen Dächer sah, sich wahnwitzig befreit vor dem blitzenden Teekännchen streckte. Entschlüsse faßte. Gulliverprojekte. Wer war das. Gab es das überhaupt. Siehst du nicht, Te, du hast mir doch auch die wilden Bohnenschößlinge ins Ohr gesteckt, wie sich da jetzt lauter ungläubige winzige Blasen herauskräuseln, lauter gestrichelte Fragezeichen. Aber du willst gar nicht mehr darüber reden, geniert es dich, ich laufe mit dir über die kleine Hängebrücke gegen Kingskerswell, grundlos erleichtert, neugierig geworden auf soviel Unerwartetes, vielleicht auch ein bißchen übertölpelt, und nicht auch ein wenig betrogen

In den letzten Augusttagen reiste der lange Luc ab. Valable! schreit ihm Thierry nach, wie nur noch seine Hand aus der Eisenbahn herauswinkt. Auch Thierry beginnt seine Popplakate zusammenzurollen. Die Zeitungen berichten über einen hartnäckigen Streik. Ich lese jeden Morgen laut mit Herrn Wills die Zeitung. Verkappte Englischstunde nennt er das. Frau Wills hat abwesende Augen, wenn wir über den Streik disputieren. Was denkst du so, Te? Manchmal denken wir sogar an nichts mehr. Es dunkelt vom Meer her, wir laufen über den Hügel, wo in den untersten Mulden die großen Abfälle rauchen, wie rot ist der Himmel hinter Kingskerswell, brennen dort die Fabriken. Dünn stehen die harten Gräser hier. Wo sich die Blattrippen auseinanderfalten, sammelt sich schon die erste Feuchtigkeit des Abends, feucht lösen sich die Wolken auf und sacht rücken die Hügel auseinander, feucht ist das Gras wo wir liegen, feines krauses Gras bist du, das rollt und wirbelt durch die Wiese. Parle-moi des formes, j'ai grand besoin de formes. La terre est bleue comme une orange

Sehe ich mich in einem Spiegel. Unter der rechten Achsel ist immer noch ein Fleckchen verschorfter Haut sichtbar, ein weißlicher krauser Flecken. Und sind doch schon zwei Jahre her, seit alle abgereist waren und ich nochmals auf dem Bohnenhügel saß. Aus den gelben aufgeplatzten Schalen rollten von einem matten Hauch überzogen die grünen Erbschen. Te. Ich fühle dich auf der Haut, ich fühle dich wie ein Rieseln durch den ganzen Körper, du hast jene frühen Verhärtungen aufgebrochen, jene mißmutig entgegengesetzten Zweifel, die zynischen Ausdrücke, die wie feine Stacheln trafen. Jetzt flattern sie ohne Schärfe, flattern wie Kohlweißlinge. Träge ragen die alten Polster aus dem Gestrüpp, die Sonne zittert in den verblichenen Mustern. Ich saß lange, bis in die dunkelrote Nacht hinein, unten duckten sich die Reihenhäuschen schwarz um das erloschene Meer, langsam wehte die Kälte über den Hügel. Ich spürte ein kaum merkliches, unbestimmbares Ziehen im Rücken. Später brach das Nervenfieber aus, ein mit nicht mehr verfolgbarer Geschwindigkeit um sich greifender Ausschlag, zwei Nächte irrte ich schlaflos in der Westella umher, halb bewußtlos in diesem Brennen, das strahlenartig vom Rücken auszuckte. Ich stand in Flammen. Irgendwo streifte ich an den Billardtisch in der Nacht, gespensterhaft stockten die Kugeln, schwieg das Meerbild an der Wand. Dann zog sich die entzündete Haut zu vertrockneten Knötchen zusammen, allmählich fielen sie ab an der Luft. Nur dieser krause Flecken unter der Achsel blieb. Vielleicht bald niemandem mehr sichtbar. Aber ich schaue in den Spiegel und sehe seine Ränder sich kräuseln, sehe die Gulliverwolken, die aufgeplatzten, wilden Schößlinge über dem erloschenen Meer, wie war das nur in England, wie, wenn auf einmal die genauen Linien deines Gesichts, wenn plötzlich das, was morgen fest und bestimmt die Straßen herausfordert, stumm und weiß im Spiegel zerrinnt

Die Straße kurvt scharf gegen den Waffenplatz zu. Vielleicht ist die Kurve nicht schärfer als anderswo. Eine Straße, die hart im Winkel abbiegt. Plötzlich berührt dich das. Wie eine Landkarte, die auseinander klappt. Den halben Körper schon in der Kurve, die sekundenschnelle Erregung, was kommt auf dich zu. Eckhäuser schienen mir immer besonders privilegiert. Mit den Gesichtern in zwei Welten. Oder Häuser mit einem zweiten Gesicht. Reichsgasse Ecke Sankt Peter. Bleicherweg Ecke Dreikönigsstraße. Mitten im pausenlosen Verkehr vorgeschobene Überbleibsel einer inselartigen Souveränität. Anfänglich wollte ich kaum wahrhaben, daß sich einem um die Ecke das zweite Gesicht mit denselben Fensterreihen, mit denselben Mauerrillen zeigt, das erregt um die Ecke streifende Gefühl erwartet zumindest einen anderen Verputz. Oder eine gänzlich verschobene Fensterordnung. Was überraschst du, was ereilt dich um die Kurve. Lauern dir Schrecken auf in der halben Wendung, die du noch nicht siehst. Aus dem Arbeitszimmer kam mein Vater in den Gang, es war Winter, ich war lange fort gewesen, die kleine Drehung, die er um die im Gang stehende Kommode machen mußte, schien sich in unendlich dehnende, schmerzliche Bestandteile zu zerlegen, die Lampe im Gang war warm und dunkel, darunter blätterte sein Gesicht auf, es war so gelblich, so zerfallen, so abwesend schon ganz dem Sterben zugeneigt. Ist Sterben ein solches Überraschtwerden in einer kurzen Drehung, ein unerwartetes, schreckhaftes Aufblättern. Früher dachte ich, wenn ich mich irgendwo über dem Dorf zwischen das warme gemähte Gras verkroch, vielleicht ist Sterben ein langsames Einsinken immer tiefer in die Erde. Kann man das noch glauben. Bei unseren schnellen, abgeschnittenen Toden. Diesen Toden, die nur noch Fehlleistungen sind, Fehlleistungen im Verkehr, Fehlleistungen in der Klinik, Fehlleistungen im Betrieb. Peinlich. Soll ich erzählen vom Dorf. Aber das ist nicht repräsentativ. Schon gar keine Aktualität. Unser Land, hat das nicht schon früher einer gesagt, es werde noch der Dorftrottel Europas werden. Aber will uns jemand weismachen, nur in der Verstädterung fließen die Widerspiegelungen der Zeit zusammen. Nur in der Verstädterung brechen die Zukunftslinien auf. Und die erforschungswürdigen Frustrationen. Wo haben wir denn gelebt, als wir im Dorf waren. Lebten wir nicht in der gegenwärtigen Zeit. War das außerhalb der Zeit, in einer Arche Noah hinter dem fließenden Jahrhundert. Aber waren wir nicht viele, eine aufs unbedenklichste vermischte Masse, ich rede nicht für mich, was mir so einfällt, fällt massenhaft jedem ein, massenweise schaukelten wir in der Arche Noah, dumpf und in verschrieener Vitalität, massenweise zogen wir später in die Verstädterung. Und was vorher war, soll keine Gegenwärtigkeit und keine in die Zeit hineinzitternden Linien besessen haben. Was ist das: die Zeit. Pochte sie nicht hörbar die Nachmittage herauf, wenn wir zwischen den Schulbänken über den Rechnungsaufgaben saßen, die Luft stickig von unhörbaren Seufzern, von heimlichem Angstschweiß und Füßescharren. Auf einmal bimmelte das Totenglöcklein, bimmelte zögernd durchs Dorf, merkwürdig hell und klaglos, der Nachmittag stockte, ließ geduckt das Bimmeln durch alle seine Poren hindurch, die Luft stand still über uns. Die Formeln weichten sich auf unter unseren Händen, rankten sich fremd zusammen und ängstigten nicht mehr, wir saßen in stiller Zerstreutheit. Manchmal auch kam die Zeit schrittweise die Schmiedgasse herauf, ein schwarzer Zug zwischen den Häusern, ein Leichenzug, dem wir über den Heften mit den Augen nachhingen, bis er im Dorf sich verkroch. Warum haben wir die Leichenzüge abgeschafft, beiseite geschafft, waren das nicht tägliche Demonstrationen, die schwarz das Dorf durchbröckelten, die festen Abläufe unterbrachen, um sie in leisem Erschrecken wieder zusammenrinnen zu lassen. Das Dorf war ein buntes Kaleidoskop von Maronidüften und Zuckerwatte, von Fasnachtsdämonen und blauem Fronleichnamshimmel, von fliegenden Schaukeln und wächsernen Gesichtern, die in dunklen Stuben zwischen violetten Blumen auf dem Rücken lagen bevor sie ein Sarg verschloß. Die Schulmessen zogen sich über den halben Morgen hin, oft waren es auch Beerdigungsmessen und ein schwarz verhängter Sarg lag im Chor aufgebahrt. Wir tauschten unter den Bänken Süßholz aus und Heiligenbildchen. Die ganz dünnen, durchsichtigen, die sich anhauchen und einrollen ließen, waren die begehrtesten, es war ein heillos komplizierter Handel, und sicher flog einem eines im ungünstigsten Moment auf den Mittelgang hinaus und blieb dort liegen, eine flatternde Botschaft mitten auf den Steinfliesen, von sämtlichen Buben auf der anderen Seite des Schiffes hämisch schonungslos belacht. Wie lang wurde die Epistel verlesen und wie warm duftete das frisch vom Bäcker geholte Brot in den Taschen, wir klaubten verstohlen das Weiche heraus und von der Orgel her kam es wie mit wehenden Fahnen Dies irae Dies illa

Stirbt in der Stadt niemand? Man kann wochenlang, jahrelang durch eine Stadt laufen und könnte meinen, Sterben existiere nicht mehr. Nur die Krankenautos schießen immer häufiger mit blinden Scheiben durch die Straßen, schrill und mit blauen Signallichtern. Nicht daß Sterben etwas Einmaliges wäre. Nicht daß das Tote zu denken uns in der Tiefe absorbieren müßte. Aber die Gewohnheit: sich am Abend hinlegen und ob wir aus dem Schlaf heraus wieder ans Licht schwimmen werden. Die Haut zwischen den Fingerknöcheln, durch die dir die Sonne durchsichtig schimmert, wie wird sie aussehen, wenn wir tot sind. Sind es nicht alles Gewohnheiten, die sich heraufdrängen, wie ich jetzt durch die Straßen gehe, lange abseitige Gewohnheiten, immer redet man davon, wie das Außerordentliche zu wählen wäre, hat man je dies gehört: die Gewohnheiten wählen

Durch ein Dorf im Veltlin laufen. Was versteckt sich hinter den Gewohnheiten dieser Menschen, die wortkarg in den abschüssigen Gassen verschwinden, unter den Hauseingängen zusammenstehen oder an die Friedhofmauer gelehnt warten. Ein paar schmale Mauerluken gewähren eine weite Sicht ins Tal, durch das sich hie und da ein Kursauto heraufschlängelt. Auf dem Dorfplatz steht ein monumentaler häßlicher Stein mit den Namen der Kriegsgefallenen, ein erratischer Block in diesen abgeschiedenen Nachmittagen, unzählige Male schon von den Bewohnern in Erbitterung und frömmlerischer Verehrung umkreist. Hier oben zählen keine inzwischen verflossenen Jahre, unvermittelt erinnert sich einer erregt der Partisanen. Was war das: der Krieg, ein unsichtbarer Flammenherd unten in den Tälern, der gierig bis in diese Abgelegenheit seine Flammenspitzen streckte. Manchmal, gegen die einfallende Nacht, wenn ein schwaches grünliches Licht die kleine Bar erhellt, blüht dort für kurze Stunden ein leichtsinniger Dorftratsch auf, ein tiefes abgerissenes Lachen fällt auf die abschüssigen Gassen hinaus, dann wieder kreisen die Gespräche unabwendbar um die Monotonie von

Tod und Geburt und Hochzeit und Krieg. Was sitzt der Mann dort auf der Steintreppe. Sein Alter, es ist nicht zu schätzen. Als wären seine Hände, seine Kleider, die Schläfen und das Haar gleichermaßen durchfurcht und vergraut. Er wickelt die Lappen um sein Bein auf, einmal hebt er den Kopf etwas länger und ein rätselhaftes Lächeln zittert ihm um die Mundwinkel, wie er mich so gebannt stehen sieht. Gleichmäßig rollt er die Lappen weiter auf und legt sie sorgfältig gebündelt neben sich auf die Steintreppe. Das Bein. Es ist unförmig gedunsen. So dunkelblau geschwollen. Schon fast ganz schwarz. Eine einzige große aschenfarbige Wunde. Ist das Altersbrand. Sieht fortgeschrittenster Altersbrand so aus? Geht denn hier niemand zu einem Arzt! Ein paar Frauen sind stehengeblieben, gelassen und verschwiegen, mit dem Rücken gegen das Tal, sie schirmen das Dorf ab, eine dunkle Wand, undurchlässig jedem Fremden. Eine bückt sich jetzt nach ihrem Häufchen Wäsche und grüßt, eh Vittorio, sagt sie, du machst es wohl auch nicht mehr lange. Vittorio grinst, er streckt mühsam sein Bein gegen die Sonne, tut es weh, die Frau schaut mich mit bewegungslosen ernsten Augen an: Il male sta con le persone. Das Dorf ist wie ausgestorben, die Hitze wird schwerer, irgendwo gackert ein aufgeschrecktes Huhn, wo krümmen sich die Namen der Gefallenen, il male, Vittorio, il male sta con le persone con le persone con le persone

Il male. Man kann das schwer übersetzen. Es ist das Böse und die Schmerzen und das Üble und es ist mehr. Eine mit uns lebende Gewalt. Sie wird sich rächen, wenn wir nicht mit ihr an den Tisch sitzen, ihr ein offenes wachsames Gesicht zeigen, sie wird verfaulen und giftig werden, wenn wir sie ins Vergessen abdrängen. Und doch. Stets sagt man uns, daß bereits in der hellsten Erregung die Neigung zum Sterben zittere und sich ängstige und fürchte vor dem Umschlag. Warum sollte nicht auch einmal diese Neigung zum Sterben sich ängstigen lernen vor unserer überbordenden Helle. Warum nicht einmal die Verhältnisse umkehren. Und der Gewalt zum Sterben ihr Vorrecht ablisten. Die Gewalt mit Leichtigkeit überspielen. Wie war das nur mit dem Bauernhaus, wo ich jeweils die Eier holte, weiß und noch warm vom Stallgeruch, und wo der Familie zweimal in einem Sarg ein Sohn heimgebracht wurde. Die kleineren Geschwister hätten es nicht geglaubt, sagte die Frau, gering und grau stand sie unter der Türe, der Jüngste wäre den ganzen Nachmittag im Zimmer mit dem toten Bruder gewesen und hätte in ruhiger Vergnügtheit mit ihm gespielt. Alle seine Holzkühe und Schäfchen, die abgewetzten Gummiautos und aufziehbaren Gackerhühner, die farbigen Wasserpistolen und die klebrigen Rahmtäfelchen hätte er ihm in den Sarg gelegt und zwischen die klammen Finger geschoben

Ist nicht etwas in uns, ein abgeschirmter Ort, wo

wir immer so mit dem Tod hätten umgehen können. Aber auch ein Ort, wo wir lange, bevor er uns jemand wegnahm, schon mit ihm kämpften, aufschreckten gegen den Morgen, war nicht mein Vater eben durch mein Zimmer gegangen. Ich mußte oft noch im Schlaf gelegen haben, ein Duft von frischem Kaffee war um ihn und verweilte über meiner Decke. Warum hingen die Vorhänge zum Zerreißen weiß um die Fenster, warum raschelten die Birnenspaliere so silbrig herein, hinter jedem Tag kam dumpfer etwas herauf, das ich nicht zu erkennen vermochte, mit jedem Erwachen krümmte sich erbitterter der Widerstand in mir zusammen. War das so, als Jakob mit dem Engel rang im Traum. Wie ein feines Meßgerät, das auf die unsichtbarsten Trübungen reagiert, versetzte mich der zufälligste Gedanke an Leiden in heftige Aggressivität. Die Kreuzigungsbilder in der Kirche. In verschlossener Abwehr sah ich auf sie, erzürnte mich gegen die alles anbietenden Gebete und blätterte sie in hilfloser Zerstreutheit doch immer wieder auf. Es war mehr als ein Jahr bevor mein Vater starb. (Wir waren wie Tiere geworden, die vor außergewöhnlichen Witterungen in ihren Nestern aufschrecken.) Wir saßen alle beim Abendessen, das Fenster gegen den Lauerzersee offen, die Küche stand wolkig vor Rauch und mein Vater lachte und der Rhabarberkuchen war noch warm, die bläulichen Stückchen ragten glitzrig vom Zucker überstäubt aus dem Teig, ich dachte plötzlich: Wir sitzen wie in einem Bild. Es rückte weit weg, hing irgendwo schon still, leblos in der Unwirklichkeit. Ich ging die Wiese hinunter, es war Ende April, die Wiese unter dem Haus, das Gras stand fast weiß in der Frühe, blaß drängten sich die knospenden Apfelbäume gegen die Mauern, die abwesend den Garten umschwiegen, ich kauerte mich mit der Kamera nieder, ich wollte das Haus aufnehmen, das jetzt ins Bild rückte, ein Totenbild, dachte ich jäh. Dann wieder lag ich im Traum, aber es passierte gar nichts im Traum. Nur weit unter mir stand in einer endlos grünlichen Leere ein Sommerhaus, die Jalousien geschlossen. Und langsam, kaum verfolgbar, doch ohne die mindeste Verzögerung, schrumpfte es zusammen, schrumpfte unaufhaltsam, und ging schließlich völlig ein in der grünen Leere, die nun wie Algen starrte. Kehrte sich alles um. Früher hatte ich mich stundenlang auf den Estrich hinaufgeschlichen, da war nicht das Haus, aber die Welt darunter zusammengeschrumpft. Es hatte fast etwas Vermessenes, sich mit pochendem Puls an die Dachluken heranzuschleichen und hinauszulehnen. Die mächtigen Hortensienstöcke waren nur noch blaue Flimmerpunkte, die Bohnen- und Zwiebelbeete winzige schnurgerade Felder wie die Kreuzstichmuster auf meiner Schürze, die Autos waren nervöse Mücken, die gegen den Gotthard zuzuckelten, und die Berge, waren sie nicht nur Kulissen aus luftigem Karton und der Vierwaldstättersee mit Tinte hingemalt. Je kleiner die Welt unter mir zusammenrückte, desto größer und wärmer und unerforschlicher erschien mir das Haus. Ich streunte zwischen den Koffern und dürr herabbaumelnden Palmsonntagszweigen herum, irgendwo war eine Ecke, die mich ähnlich verlockte wie die Schwellen im Dorf, hinter denen im wächsernen violetten Blumengeruch die Toten lagen. Nun war in dieser Ecke eigentlich gar nichts zu sehen, auch war es ein Winkel, der immer im Dämmern lag, selbst an den Tagen, an denen das hier vergessene Kruzifix undeutlich auftauchte, war ich nie ganz sicher, ob es nicht an anderen Tagen gänzlich unsichtbar blieb. Ein dünnes schwarzes Holz, ein vergessener Gipskörper. Es war nicht der Gekreuzigte in der Kirche, von der Orgel umbraust und von den Wandlungsglocken und betäubendem Weihrauch. Hier hing ein anderer. Hier hing ein bleicher stummer Schemen, alles Leben ausgesaugt, weiß und abgestorben hing er im Estrichdunkel, hing er schon Jahrhunderte so, reglos in der Leere, darüber sich der Dachstuhl wölbte, rund und tief und fast heidnisch vollkommen und still

Damals hatte vielleicht bereits jener geräuschlose Prozeß der Abtrennung begonnen, jenes unmerkliche Durchlässigwerden der religiösen Traditionen, die den Ort, wo ich aufwuchs, noch beherrschten. Durchlässigwerden, das war es, es lag wenig Widersetzendes, wenig Zweiflerisches, wenig Abneigung und fast kein Überdruß darin. Es waren nur Verschiebungen, die sich beinahe lautlos ereigneten. Ein traumhaftes Hindurchgehen.

Die religiösen Traditionen, das mag merkwürdig klingen, sie waren der Eingang zur Welt. Sie beanspruchten, allen Dingen ein zweites Gesicht zu geben, wodurch diese erst ihre ganze Sinnenhaftigkeit erfahrbar machten, sich riechen und schmecken ließen. Es war oft genug ein verwunschen abergläubiges, unsinniges Gesicht, ein passionsfarbenes oft, aber es konnte auch zittern vor Inbrunst und orgeln und glänzen vor Festlichkeit und das ganze Dorf damit anstecken. Wem fiele es ein, daß eine Orange etwas Wunderbares ist, das die heilige Agatha einst in gigantischen Mengen aus dem blauen Fasnachtshimmel regnen ließ. Die Schulmesse am Agathatag drohte stets ein stürmisches Ende zu nehmen, einer der wenigen Tage, da wir nicht halb verschlafen oder in komplizierte Händel vertieft träge unseren Gesang hinter der Orgel herschleppten, sondern in chaotischer Beschleunigung die Strophen heruntersangen. Endlich öffneten sich die Kirchentüren und auf der Terrasse des Hotels Bären tauchten die Maskengesichter auf. Die Feuerwehr hatte ihren großen Tag. Sie war eigens zu Ehren ihrer heiligen Patronin in die blanke Uniform gefahren und hatte sich die Masken übers Gesicht gestülpt. Gewichtig und in einer uns außer Rand und Band bringenden Langsamkeit machten sich die Vermummten an Harassen voller Orangen zu schaffen, hoben und schwenkten sie verführerisch über unseren Köpfen. Jetzt! Bedrohlich war eine dem Kippen nahe und dort eine und noch eine, wir schrien vor Begeisterung, bis der Himmel von Orangen prasselte, rollten sie nicht bis über das Kirchdach und tropften aus gesprungenen Schalen, tropften zwischen eingeritzte Flehrufe, kehr um unsere Gfängnuß wie die Bäch im Föhnen

Ich bin versucht zu fragen, wie mutet Sie das an? Neunzehnhundertfünfundsiebzig. Ein Ärgernis der Abseitigkeit. Sie glauben mir nicht, daß morgen demonstriert wird? Meinen Sie denn, man ziehe die Welt an einem schnurgeraden Faden hinter sich her? Gestehen Sie mir ein paar Ab- und Umwege zu und noch darin ein bißchen Verwegenheit. Was ich noch sagen wollte, verwechseln Sie unser Dorf nicht mit einem natürlichen Leben. Ich bin kein Natürlichkeitsschwärmer. Auch bei uns hatte alles seine gröbere und feinere Künstlichkeit. Selbst die natürlichsten Vorgänge wie das Einnachten konnten im Dorf ihr Doppelgesicht haben, ihre anwachsende Zweideutigkeit. Mich reizt es zu wiederholen: ihre Durchlässigkeit. Haben Sie erraten, worauf das hinausläuft? Daß ich, da ich kein Stadtkind war, beispielsweise das Einnachten nicht im Kino erlebte, und da ich kein rechtes Landkind war, auch nicht unter freiem Himmel, sondern in der Kirche. Im Oktoberrosenkranz. Der Oktober war der Rosenkranzmonat. An den letzten Tagen war schon Zwielicht wenn ich ins Dorf ging, die letzten rotbackigen Äpfel fielen unsichtbar und mit dumpfem Aufprall ins Gras, so fielen dann auch in der nur schwach erhellten Kirche die eintönigen Ge-

bete wie runde dunkle Früchte ab. Ein allabend-
licher Rosenkranz ist nun das erklärt Langwei-
ligste, das ein katholisches Dorf im Spätherbst
zu bieten hat. Aber gerade diese Monotonie übte
eine magnetische Faszination auf mich aus. Man
konnte sich getrost dem nur von wenigen An-
und Abschwellungen veränderten Gemurmel
überlassen, irgend jemand zählte sicher, damit
die streng vorgeschriebenen Gegrüßtseistdu-
Maria nicht überschritten wurden. Fast unmerklich wechselte der Rosenkranz in die Litaneien
über, fremde schwarzverhüllte Wörter schaukelten aus dem Chorstuhl wie geheimnisvolle
Leuchttürme in die Dämmerung hinaus, du-
ArchedesBundes, dugoldenesHaus, duelfenbei-
nernerTurm. Die Kirche wölbte sich still. Nur
noch in den Fenstern gegen den Hauptplatz zu
hatte sich die letzte Helligkeit des Tages festge-
trunken. Unverwandt ließ sich betrachten, wie
sie langsam erlosch, wie das Glitzern in den dünnen Bleifassungen verblaßte, bis sie nur noch als
graue Rippen das Glas durchbrachen und immer
mehr in die dahinter dunkelnde Farbe des Him-
mels eingingen. Der oberste Flügel stand offen,
da schaute nun der ganze große Nachthimmel
herein, er drang durch das Gewölbe, das verdämmernde Kirchenschiff schien durchsichtig geworden zu sein. Jedes abendliche Geräusch im Dorf
war durch den offenen Flügel doppelt verschärft,
doppelt vertraut und doppelt fremd zu verneh-
men, als sänke man in die Erde ein, als hörte man
unter den Steinfliesen wachsen das Gras. Die Ge-

bete zerrannen und verplätscherten immer undeutlicher gegen den schattigen Chor, wo halb entrückt nur noch der Tabernakel glänzte. In fast zürnendem Eigensinn fixierte ich ihn, bis er mir verflimmerte und zu tanzen begann vor den Augen, bis er aufstrebend sich in eine Form verzog, die mich verwirrend verlockte, hörbar aus den abgelegenen Wiesen fielen Paradiesesäpfel ins Dunkel, ich schwamm auf den verplätschernden Gebeten durch die Nacht, der Glanz stieß in mich, wie könnte man sich nie mehr solcher Instanzen erinnern

Nun, Te, ich glaube nicht an die Auferstehung. Verschönert uns keine Greuelmärchen. Aber wie wird das mit dir sein, Te, wenn du einmal nicht mehr da bist, werde ich dies denken können: es gibt dich nicht mehr. Sich selbst oder die andern denken. Es ist nicht dasselbe. Sich selbst sterben: vielleicht dieses Einsinken in die Erde, vielleicht dieses kurze lichtartige Aufblättern, vom Schrekken jähen Erkennens durchzittert. Aber dies auch von dir annehmen, Te. Würde ich dir denn nicht jedesmal ein Leben geben, wenn ich mit dir in Gedanken redete. Die bizarre Vorstellung, daß die Gewalt unserer Gedanken viel unabsehbarer, viel unerforschlicher, viel weiter reichend ist, als wir sie uns denken. Vielleicht bestimmen wir selbst die Art unseres Todes? Wir wundern uns, wie wir ins Leben kamen und verargen es ihm, daß es uns nicht zuerst danach fragte. Aber vielleicht bestimmen erst wir selbst noch einmal, ob wir wirklich leben wollen oder nicht? Leben-wollen und uns dem Lebendigen zuteilen wollen, je nach der Intensität unserer Fiktionen, unserer Utopie und der Gewalt, Gedanken als wirklich zu fühlen. Ich glaube nicht an die Wirklichkeit. Ich glaube nur an Wirklichkeiten. Wirklichkei-ten, die wir mit unseren Ahnungen und unseren Zuwendungen vorstrukturiert haben. Und Wirklichkeiten, die außerhalb unserer eigenen Gewalt aufwuchsen. Wie, wenn dich plötzlich alles umkehrende Ereignisse überholen oder dir ein schreckhaftes Glück widerspricht? Du stehst da, mitten in einer verfügbar scheinenden Welt, und dir wird schwindlig vor überstürzendem Lachen, was alles noch sein kann

Wenn uns jemand stirbt. Diese kreatürliche Traurigkeit. Alles Sinnenhafte an uns, das trauert. Wie uns auch kein ins Gedächtnis zu-rückgerufener Satz so haltlos ergreift wie die zu-rückgelassenen Dinge, ein Halstuch, die Schuhe. Ein Mantel. Erst später fangen wir an, auch mit den Gedanken zu tasten und uns betasten zu las-sen, Gerüche und halbvergessene Worte körper-haft zu denken, dann verläßt uns diese Verstö-rung der Sinne, als hätten wir selbst in ihnen ster-ben müssen. Wie ich wach lag, nachdem mein Vater gestorben war (ich brachte es nicht über mich zu sagen: er ist tot. Tot. Dieses kurze harte eindeutige Wort. Kurz und hart wie ein Schlag. Als würde man mit diesem Wort selbst noch ein-mal töten. Wie anders zu sagen: gestorben. Darin liegt noch soviel Übergang und ein unbestimmter Klang.) Ich lag wach mit offenen Augen, ich lag im schwarzen Zimmer, ich dachte: wieso, wenn ich dich so lang und mit so heftigem Wunsch erinnere, solltest du nicht auf einmal wieder vor mir stehen. Was würde ich dir sagen. Würde ich nicht doch vielleicht erschrecken. Warum muß ich immer denken, dein Gesicht wäre eine Mondscheibe, so erlosch es in der letzten Nacht, du legst dich weiß auf mich. Gehn wir zur Totenbeschwörerin von Endor. Ich habe das Gesicht abgewendet von dir, wir reisen nächtelang, bis zum Gebirge Sinai. Und Saul ängstigte sich vor dem kommenden Krieg, in dem er von den Philistern geschlagen wurde, und er ging heimlich in der Nacht zu einem Weibe nach Endor, das die Toten beschwor, bringe mir herauf, den ich dir sage, bringe mir den Samuel herauf, und Samuel stieg herauf, doch Saul ertrug seinen Anblick nicht, warum hast du mich unruhig gemacht, daß du mich herauf bringen lässest, und Saul hört, daß er sterben wird, und er liegt mit dem Gesicht wie leblos auf der Erde, und da nahm das Weib Mehl, und knetete es, und buk es ungesäuert, und brachte es herzu vor Saul, und vor seine Knechte. Und da sie gegessen hatten, standen sie auf und gingen in die Nacht

Eigentlich hatte Te davon angefangen. Dabei saßen wir vor braungebackenen Zwiebelschnitten. (Zu mehr reichte es nicht.) In einem alkoholfreien Lokal! Was für ein Graus. Unter der

Leitung des städtischen Frauenvereins. Te bekam es bereits mit dem Schluckauf zu tun, wenn er vor dem Eingang das Wort auf einem Anschlag entdeckte, mit undurchsichtiger Miene schlenderten wir auf die Selbstbedienungstheke zu und beigten uns unsere Sachen zusammen. Das Essen war hier nicht teuer. Das stand nun einmal fest. Ich sollte nämlich sparen, wollte Te mit Überzeugung sagen. Mit meinen über vierzig Jahren! Aber er mußte das Lachen verbeißen. Und keine feste Stellung und ein Einkommen, das unter das steuerpflichtige rutscht. Wer sähe dir das an, Te. Wie du lebst. Nirgends seßhaft. Nirgends ruhig. Niemanden zu lange beanspruchend. Warum nur reden wir so oft vom Tod? Genauer gesagt, nicht vom Tod selbst, sondern von der Zeit, die noch zu leben bleibt. Du redest davon, als bliebe dir nur noch wenig. Das hat mir noch nie jemand so erzählt. In solch konkreten und doch wieder ganz beiläufigen Sätzen, und immer wieder eingestreut zwischen allem Belanglosen als leise Skepsis. Ich glaube, du wirst nie mehr eine feste Stellung haben. Vielleicht wieder einmal, wie früher, einen vorübergehenden Anlauf im Forschungsinstitut, oder da und dort ein paar Stunden Mathematik unterrichten, aber werden das nicht immer kürzere, immer durchlässigere Scheinetablierungen sein, du hast dich zu lange an den Rändern der Konventionen bewegt. Te hat einen Unfall gehabt und nachher acht Monate nicht gearbeitet. Einfach nur so dahingelebt. Te hat keine Verwandten hier und ich glaube wenig Freunde, was hast du denn so gemacht während all der Zeit. Te zuckt die Achseln. Er lacht versonnen. Ich höre so gerne, wie andere Leute ihre Tage einteilen, was für kleine ausgefallene Disziplinen sie sich erfinden. Ob sie schon um fünf Uhr früh aufstehen und sich in verschwiegene Beschäftigungen vertiefen und dann gegen acht Uhr gleichmütig, als kämen sie nicht schon aus einem zweiten Leben, mit allen noch verschlafenen Massen in die Straßenbahn steigen und zur Arbeit fahren, oder ob sie nachts erst um elf speisen und noch über Mitternacht hinaus immer wacher werden, oder ob sie sich ins Bett legen, wenn der Abend gerade erst auflebt in den Straßen, weil sie jetzt eben schlafen und nach eigenen Uhrzeiten leben wollen. Also Te, wie war das? Aber Te will nicht recht herausrücken, jetzt werde auch ich scheu zu fragen, habe ich an Verbotenes gerührt, könnte es heute verboten sein zu sagen: oft habe ich nur viel nachgedacht. Sonst nicht viel. Acht Monate lang. Den vor Sinnlosigkeit kranken Nachmittagen entlang gedacht, den heimlich allen Korruptionen zugeneigten Bezügen in uns, der noch bleibenden Zeit. Da denkt man sich von der Mitte weg. Da findet man nicht mehr zurück. Warum mag ich Te so gern. So rasch und grundlos. Ich gehe nach der Arbeit durch den Rechberggarten, in meinem dunkelroten Wollkleid, ich sitze im Gras, halb weggedöst unter dem Birnbaum, Te läuft zufällig die Treppe hinab, er sagt, du sitzest da wie Alice im Wunderland. Er kommt ins Plaudern mit der Alice, jetzt sitzen sie schon mehr als drei Stunden im Gras (das wird einen großen grünen Fleck auf der Sitzfläche absetzen, denn gestern hat es lange geregnet!) wie du dich ereifern kannst, lacht er, und dabei ganz abwesende Augen bekommst, er möchte die Alice ins Kino einladen. Gehen wir in einen alten Chaplinfilm, die wieder laufen, wir gehen in »Modern Times«. Jetzt steht das Bild still, sagt Te, und hört nicht mehr auf. Jeder gute Ausgang schmerzt nur. Wie etwas Verlorenes. Ich blicke von Te weg schnell wieder auf die Leinwand, Chaplin müht sich ab in einer Maschinenfabrik, alle Glieder zittern ihm, eingespannt in die rasende Akkordarbeit, hastig zuckeln ihm die losen Schrauben unter den Händen weg, ruck, ein Dreh mit der Zange und wieder einer und noch einer und nichts wie ruck zuck, Chaplin wird den Schraubdreh nicht mehr los, die Mittagssignale schrillen, er torkelt wie benommen aus der Fabrik, schlappernd und zuckend an allen Gliedern, eine große schwerfällige Frau walzt in der Mitte der Straße dahin, mit einem schillernden schraubenartigen Knopf auf jeder Brust, er rennt wie besessen auf sie zu, ruck zuck, und dreht ihr die Knöpfe ab. Der Fluß plätschert gegen die rotverwaschenen Mauern der Schipfe, wie wir heimlaufen. Wie du erzählst. Die konkreten Sätze. Die leise Skepsis, die durchsickert. Warum habe ich, seit ich Te kenne, zweimal hintereinander nach langem wieder geträumt, mein Vater sei nochmals gestorben. Dabei hat Te einen verhei-

ßungsvollen Namen, man möchte gleich aufbrechen bei diesem Namen, Schiffsbug soll es im
Holländischen heißen, seine Familie muß früher
einmal über die nahe Grenze nach Deutschland
ausgewandert sein. Es waren Schiffbauersleute.
Hast du die Schiffe gesehen, die im Winter hinter
der Enge am Quai liegen. Weiß und fremd ver-
schwimmen sie an dunklen Novembermorgen
im Nebel. Schaukeln still unter dem ersten
Schnee. Als ich noch jeden zweiten Morgen fast
eine Stunde in der Straßenbahn zum Elektrikergeschäft fahren mußte, habe ich mit stummen
Augen nur auf sie gewartet. In der stumm verratenen, bereits schon erdrückten Frühe. Sie
wurde erdrückt in der Straßenbahn, die unbarmherzig ihren Zielen entgegenschlitterte, immer
neue Massen ansog und wieder hinauspferchte,
verschlossene Gesichter, die sich wortlos forttreiben ließen. Und auch ich ließ mich forttreiben,
eine große Traurigkeit schnürte sich in mir zusammen. Da tauchten die Schiffe auf. Eine
stumpfsinnige Arbeit wartete auf mich, aber ich
hatte die Schiffe gesehen, und ich hielt durch. Sie
schwammen weiß im Novembermorgen, hätten
sie nicht jeden Augenblick aufbrechen können,
sie winkten, als wüßten sie um die Ausfahrt der
Träume in den Tag. Bist du nicht auch ein solches Schiff, Te, du mit deinem Glanz zum Sterben, ein fast weißes holländisches Schiff, in dem
ich mich noch einmal so kindlich verschlief

Sie haben einen Vaterkomplex, sagte der Bekannte in Konstanz, auch habe ich den Verdacht, Sie wollen nicht erwachsen werden. Was kümmert mich das. Was kümmern mich diese verherrlichten normalen Beziehungen. Was wissen die von der Gulliverwolke, kraus sind die Bohnenblüten, und von der blaugrünen Geschwisterliebe, von den dünnwandigen Haselnußaugen Ces, in denen ich schreien kann, von den hoch über die Birkenringe flatternden Reisen, und was von Te, dem fast holländischen Schiff. Te könnte beinahe mein Vater sein. Und warum nicht. Wir haben zwar nie erwartet, daß aus uns etwas wird. Von Anfang an diese unerklärliche Angst, die mich hinausrettete. Die Angst, meine eigene Lebenszeit schrumpfe zusammen. Die nicht abzuschüttelnde Einbildung, ich müßte Jahre überspringen, die nie mehr zu wiederholen wären. Ich sagte das Te. Hat sie nicht eine feine, kühle Spur von Grausamkeit, die Alice im Wunderland. Später, bei anderen Menschen, da verflog auch diese Spur. Wir sind nicht berechenbar. Du hast etwas Knabenhaftes, sagte Te. Warum habe ich manchmal den Umweg gemacht, um nicht unter demselben Birnbaum zu sitzen, ich sitze etwas abseits, versteckter. Te hat mich auch nicht gesehen, obwohl ich das dunkelrote Wollkleid trug, das er so gern mochte, er ging in den unteren Teil des Rechberggartens, er ging weg, plötzlich mußte ich hinschauen wie gebannt. Er ging bereits auf die Plattform der untersten Terrasse hinaus, die sich unter seinen Schritten wie von einem unaufhaltsamen, traurigen Zögern bestimmt endlos zu dehnen schien, die Plattform bestand nur noch aus übereinandergeschobenen Flächen blendenden Lichts, Te ging darin, ging darin weg. Verschwand. Dieser Stich in den Augen, dieser kurze blendende Schmerz, aus was hatte ich mich hinausgerettet, und wofür und weshalb. Noch unabhängig sein. Aber wozu

Wir spielten mit dem Zufall. Warteten, bis wir aufeinander zuliefen. Te ging gern durch die Altstadt, ich auch. Ich erkannte ihn schon von weitem, beide Hände in den Hosentaschen, er hatte etwas von einem streunenden Jungen dabei. Häufig entdeckte ich ihn beim Kaffee Salomon, wo er, meist in einem Häufchen Italiener, versunken durch das Glasfenster eines gegenüberliegenden Geschäftes schaute, nach drei Uhr nachmittags liefen dort gleichzeitig ein Schwarzweiß- und ein Farbfernseher. Te stand beim Kaffee Salomon und schaute selbstvergessen ganze Sendungen an, als wäre er hier in den Straßen der Altstadt zu Hause. Wir gaben uns oft nur die Hand, wenn wir voneinander weggingen, und doch konnte darin etwas Ungewöhnliches liegen, für Sekundenlänge bekamen die Dinge etwas Überdeutliches, Unüberhörbares. Die Abzweigung zum Schanzengraben, der verlassene Fraumünsterhof. Wir haben wieder bis über die Nacht hinaus geredet, vereinzelte Regentropfen, Wind vom See her. Dezemberschnee. Wir redeten uns in abgelegene Gegenden fort, abgelegene Gedächtnisgegenden, wenn es zwölf vom Münster schlägt, müssen wir hinaus, müssen wir uns draußen die Hand geben, aber jetzt noch ein bißchen zwischen den warmen Wänden der Wirtschaft sitzen. Sich an die Holztäferung lehnen. Zuhören was du erzählst. Als kleiner Junge zur Kriegszeit. Was sind die KLV-Lager. Die Kinderlandverschickung. Was für ein Wort. Da wurden die Kinder aus den bedrohtesten Städten, in denen der in immer kürzeren Abständen einsetzende Bombenalarm den Schulunterricht verunmöglichte, in geschütztere Landesteile verschickt. Gegen Kriegsende lösten sich diese Lager in überstürzter Verwirrung auf, vereinzelt zogen dann die Jungen verwahrlost umher, suchten sich einen Bauernhof, wo es wenigstens wieder etwas zu essen und einen Platz zum Schlafen, aber auch harte Arbeit gab. Oft weckten die Bauern schon nachts um zwei einen Jungen zum Grasmähen, im Finstern mußte er mit dem Ochsen losziehen. Der vierzehnjährige Te, der herumstreunt. Mit den großen scheuen Augen. Als die Russen kamen, wurde Te mit den Hühnern zusammen tagelang auf einen versteckt gelegenen Heuboden gesperrt. Ist das lange her. Te erinnert sich noch genau der Anzahl Brotschnitten, die ihm die Bauersfrau mitgab, als Te schließlich heimfahren wollte, zu wenig für die lange Reise, die wer weiß wie lange dauern konnte. Es gab ja keine Fahrpläne mehr. Nur ein paar richtungslose Strecken, stundenlang wartete Te zusammengekauert in Viehwägen auf Anschluß, endlos dauerte die Heimfahrt auf Kesselwagen, durch zerbombte Bahnhöfe. Warum ist dein Bruder gefallen. Am Ende. Noch mit siebzehn. Der Vater. Wie du das jetzt noch sagst: ich war der erste, der nach Hause kam, als wäre es ein gefühlsloses Grauen gewesen. Deine Mutter, sie hat wohl gar nichts mehr fühlen, sich gar nicht mehr ängstigen können. Das halbe Haus zerbombt, komm wir gehen in den Hintergarten, da wuchern die Trümmer wie früher der Pflaumenbaum, und wer weiß, was da immer noch verendet, und der Hunger

Te. Nie diesen Verhärtungen zu genügen. Diesen Heimatlosigkeiten von Grund auf. Te lacht gern und viel. Doch darunter, wie weit fällt ihm alles ins Schweigen. Die feinen brennenden Linien, die uns trennen. Wann begegnen wir uns schon am Morgen, in den noch schattigen Seitengassen um den Neumarkt, ich bin rasch der Arbeit entschlüpft, ich gehe imaginären Besorgungen nach. Um neun Uhr morgens atmen selbst die sonst verstopftesten Straßen noch etwas Unverbrauchtes, Te biegt um die Ecke, wir lachen wie die Schelme. Als hätten wir ein Schicksal überlistet. (Durch all die Wochen hindurch verteilt, es geschieht wenig genug, oder geschieht es, je erwartungsvoller ich es mir wünsche, desto häufiger, denken wir einander Straßen zu, aber eines Tages muß auch ich mich hinsetzen, jetzt wird eine kategorische Karte verfaßt! doch was ich schreibe, ist schon weniger kategorisch und die Frage nur noch ein Spaß, treffen wir uns morgen in der Oberdorfstraße vor dem Weißen Wind.) Jetzt aber kommt Te unverhofft daher. Wollen wir nicht etwas trinken, ich bin aber der Arbeit entschlüpft, weißt du, wir setzen uns ins nächste Restaurant, alle Wände um uns aus Glas. Glaswände im Morgen. Durchsichtig flammende Flächen. Dahinter rücken die Plätze, die Häuser, die Stadt zusammen, die Autos, die quer über die Straßen eilenden Menschen, alles spult sich ab wie in einem kreisrund laufenden Film. Für kurze Minuten überlassen wir die Welt ihrem Lauf, sitzen wie der Kaiser im Panorama. Dieses Entronnensein! Der verlassene Arbeitsplatz, ist er so gefräßig oder lassen wir uns so völlig von ihm verkaufen, daß diese kurzen Minuten des Entronnenseins uns mit so schlechthin unübertrefflicher Genugtuung erfüllen. Dasitzen wie neugeboren. Als wäre man knapp einer Löwengrube entronnen. Als sähe man mitten in der Wüste Palmen um sich wachsen, blaue dunstige Palmen. Erzähl von der Schule, Te. Von der letzten Mathematikstunde. Manchmal, wenn Te auf die Straßenbahn wartet, fährt ein Schüler im eigenen Auto vorbei und nimmt ihn mit. Te lacht darüber wie über einen gelungenen Streich. Auch die Autorität Besitz abschaffen. Ist das nicht beispielhaft, diese Umkehrung aller Verhältnisse. Was meinst du, wie das ausartet. Am Nachmittag sitze ich mit den Jungen im Türkenkaffee. Ich möchte mit ihnen reden, sagt Te, vielleicht verschieben sie dann für diesen Tag das Haschen, wir machen einen Redetrip, gut daß es immer ein wenig dämmerig ist im Türkenkaffee, vom Herumstreunenden in seinen eigenen Augen sollen sie nicht allzuviel bemerken. Von den zerbombten Bahnhöfen in der Kindheit. Während eines Essens in der Universitätsmensa habe ich Schüler von Te belauscht, wenigstens bildete ich mir ein, es wären Schüler von ihm, sie diskutierten über ihren Lehrer, es hätte genau auf ihn zutreffen können. Te war oft mutlos, wenn wir über die Schule sprachen, er spürte die verknäuelten Probleme wie eine unablässig gespannte Atmosphäre um sich, nur nicht ausweichen, keine pessimistischen Rückzüge in die Innerlichkeit, ich eigne mich nicht, ich bin fehl am Platz, was soll das alles. Laß dich nicht anstecken vom snobistischen Gerede, das den Lehrer immer mehr abwerten will, ihn zur Trottelfigur macht, diese Elfenbeintürmler, sie schwärmen von einer neuen Gesellschaft, aber muß diese nicht auch ihr Aufwachsen haben, und ist das nicht jetzt, und das soll uns nicht interessieren? Ich habe nachher alles in ein Notizbuch gekritzelt, was die Schüler besprachen, um ja nichts für Te zu vergessen, daß denen nicht auffiel, mit welcher Himmelsgeduld und geradezu gegenstandsloser Ausdauer ich in meiner dickflüssigen Sauce nach vermeintlichen Leberstückchen stocherte, nur um noch länger das Gespräch mitzubekommen. Das sei eigentlich nicht logisch, sagte der eine: für uns selbst möchten wir das Leistungsprinzip abschaffen, aber vom Lehrer fordern wir immer mehr, vor allem pädagogische Höchstleistung. Das Optimum von einem Lehrer! warf ein anderer ein. Sind wir nicht ungerecht. Er ist doch ein Neuer. Wir frustrieren den. Mit unseren Anforderungen. Soll er nicht auch eine Chance haben. Wenn wir ihn jetzt fertigmachen, schaden wir auch seinen späteren Schülern (das hat einer wirklich gesagt), dann hat er nämlich in einer späteren Klasse überhaupt kein Selbstvertrauen mehr. Ich war Aug und Ohr. Hörst du, Te. Was die alles noch gesagt haben. Sind das nicht Lichtblicke. Te streunt durch die Altstadt. Die Hände in den Taschen. Er kann einen so traurig belustigt, so belustigt abwesend anschauen. Nein, morgen nicht. Kann ich nicht vor dem Weißen Wind warten. Was macht deine neue Bekannte, Te, sie ist Juristin, sie setzt sich sehr ein in einer sozialistischen Parteigruppe, das imponiert mir auch, sagt Te schlicht

Dann verschwindet Te. Wochenlang. Taucht unter. Ich forsche ihm nicht nach, das ist wohl unsere Art von Schlaf. Von Dunkel. Von Vergessenkönnen. Einmal während der Arbeit, kurz nach acht Uhr morgens, ich stehe im großen Kopierraum im Erdgeschoß, läuft Te draußen am Haus vorüber. Ich könnte die Fenster aufreißen, rufen, soll ich auf einen Sprung hinauskommen, gehen wir ins Kaiserpanorama! aber ich rühre mich nicht. Ich gehe nicht einmal ans Fenster, um besser zu sehen. Jetzt läuft Te dem Rand des Fensters entgegen, er wird mir bald aus dem Fensterblick laufen, wohin läuft er so ziellos am Morgen, alles an ihm hat etwas so ziellos Gesammeltes. Ein ziellos ruhiges Alleinsein. Warum macht gerade dies an einem Menschen mich immer so betroffen. Dieses feine starke Weiterwegsein, das einen anrührt, als würde man selbst von einer neuen Stille ausgehorcht, vibrierend von neuen Möglichkeiten. Te ist aus dem Fensterblick geschlüpft, jetzt schläft der Tag wieder ein. Wir schlafen uns mit aufgestapelten Papieren und Listen und nicht endenwollendem Schreibmaschinengeklapper durch den Tag, unverlierbar einen schmalen Bewußtseinsstreifen kurzen Erwachens in uns. Dieses momentanen, überklaren Erwachens ins Fernsein

Fortschlafen unter der schwarzen Uhr zuhause. Die tickt in ihrer eigenen Zeit, darin im goldenen Pendel gesammelt die Nachmittage liegen, die Kindheit rund gedehnt, klein schwinge ich in ihr, mit verwischtem Gesicht. Warst du das damals, wir lagen unter der schwarzen Uhr, hast du nicht plötzlich geschrien vor Lust, wie das tönte durchs Haus, alles an mir war nur noch Horchen in die Nacht hinaus, das Ticken in der Uhr, bald rinnt es aus, es stockt, eine gefrorene Träne. Auch mein Vater schwang im goldenen Pendel hin und her, als er unter der Uhr im Sarg lag, unter den hellvioletten Blumen. Sein Gesicht war klein geworden und der Sarg legte sich fast schmal um ihn. Er hatte so gut Platz im runden Pendel. Jetzt tickt es mich immer wieder fort, und manchmal stockt es mitten am Tag, dann schwingen wir im runden Glanz darin aus. Mit verwischten Gesichtern

Als mein Vater starb. Hätten wir damals sagen müssen: du wirst sterben. Zwei Monate noch. War das damals überhaupt eine Frage? Später. Aber nicht zu jener Zeit. So hätte es sein können: wir hätten es gesagt, jedes Wort ein leerer Schlag, eine vorweggenommene Tötung. Eine beschleunigte Abtrennung. Wir hätten es gesagt und meinem Vater wäre ein ungläubiges Lachen übers Gesicht gehuscht und er hätte sich zur Wand abgekehrt und hätte geschwiegen. Und wir wären hilflos herumgesessen, uns wäre nichts mehr zu sagen übrig geblieben, der Tod hätte sich immer mehr seinen Platz in der Wohnung gesichert. Hatten wir ihn nicht schon bereitwillig zugestanden? So hätte es sein können. Wer ist überhaupt darauf verfallen, dies könnte Tapferkeit heißen. Ehrlichkeit! Dann haben also diese Todesehrlichen vorher ein Leben lang gelogen? Woher auf einmal dieser verdächtige Zwang, einander am Ende ins Gesicht sagen zu müssen, daß man stirbt, als hätte man diese Tatsache vorher immer fortgeschwindelt? Warum einander aufs Unabänderliche festlegen, warum die letzten Augenblicke verengen. Sind wir schon einmal gestorben, um darin so sicher zu sein? Den Tod als Größe, vielleicht sogar als verächtliche, kommen sehen, heißt das nicht, ihn mit lautlos sich widersetzender Festlichkeit zu erwarten. Noch einmal alle unsere Helligkeiten aufstehen zu lassen, zu einem letzten, unbeirrbaren Manifest. Noch einmal die mutwillig schimmernde Maskerade unserer Erinnerungen zusammenrufen. Und mit ihnen sich dem Tod stellen. Es muß mehr als ein Zufall sein, daß man gerade mit Sterbenden so oft eine nahe Reise bespricht, die man miteinander unternehmen will, es liegt soviel leise Durchschaubares in diesem Projekt. Wie gerne verweilt man bei den kleinsten Kleinigkeiten, ob die Reise lang werden wird und man wohl die Teppiche zuhause inzwischen einrollen muß, damit ihnen die Motten nichts anhaben können, ob man die Blumentöpfe dann wohl in die Waschküche stellen oder den Nachbarn zum Gießen überlassen soll. Wohin werden wir denn schon gehen, fragt mein Vater auf einmal klarer, seine Frage klingt beinahe spaßhaft und wir lachen und sehen uns in die Augen, er will keine Antwort, die rätselhafte Gewißheit, die unter der spaßhaften Frage mitzittert, die braucht keine Antwort mehr. Die Reise. Die große Ausfahrt. Was hat mein Vater damals gesehen in der letzten Nacht, hat er ein Schiff gesehen, ein reisefertiges, alles an ihm war ein gewaltiger Aufbruch. Er konnte nicht mehr sprechen, er sah uns wohl nicht mehr, es hing wie etwas Getrübtes über seinem Gesicht. Er schien alles von außen nach innen zurückgenommen zu haben und nur noch auf die eine Kraft zu richten, die unbändige Kraft, das Bett zu verlassen. Wir vermochten ihn kaum mehr zu halten, wir rangen gegen eine unfaßliche Gewalt, die erst mit dem kaum sichtbar heraufkommenden Tag erlosch

Es war ein früher Morgen im Februar. Ich stand an meinem Fenster. Drüben im anderen Zimmer war mein Vater jetzt ruhig geworden, bewegte sich nicht mehr. Ich stand ohne Gedanken. In einer überklaren Besinnungslosigkeit. Hatte mein Vater uns mitgenommen hinter jenes Getrübte über seinem Gesicht. Wie sollten wir da wieder zurückfinden. Die Hände endgültig lassen von jener unfaßlichen Gewalt. Und mit ihnen das Morgengeschirr aus dem Schrank holen, das Kaffeewasser aufsetzen. Frischgeschnittenes Brot. Im Körbchen auf das gelbe Tischtuch stellen. Und das Kalenderblatt abreißen und sagen: heute ist der sechste Februar. Ich stand immer noch am Fenster. Auf einmal sah ich, daß ich immer noch vom vorherigen Tag die rotweiß gestreifte Küchenschürze trug, wir hatten nicht geschlafen, ich strich langsam über den groben Stoff, sah jäh auch, wie der Tag jetzt heraufkam, hell von gefrorenem Schnee lehnten die Berge aus dem Vierwaldstättersee, tief blau floß die Luft herauf, von ein paar vorgeschobenen Hängen blitzten schon die ersten Dächer. Da brach es über die Besinnungslosigkeit wie ein überbordendes Fest, heftig vergrub ich die Hände im groben Stoff meiner Schürze, zerknüllte ihn, mich durchfuhr es: heute ist Fasnachtstag! Der Himmel wird von Orangen fliegen, was hast du dir für einen Tag zum Sterben ausgesucht, hörst du, wie sich schon

in den hintersten Gassen die Trommeln rühren
und die Vermummten huschen über den Schnee
und verwerfen die Füße unter den Reifröcken
im strengen alten Takt, und wir tauchen die erhitzten Gesichter in den eisigen Dorfbrunnen
und die Orangen zerplatzen, was für ein Tag

Jetzt hätte mich bald ein Lastwagen am Mantel-
zipfel mitgenommen. Das könnte einem so passieren. Unter die Räder geraten, ein kurzes ver-
zweifeltes Überschlagen des Körpers. Und dann
still an den Straßenrand kollern. Ein wenig ver-
bluten. Sich nicht mehr rühren. Aber der Lastwagen donnert davon, dem bin ich noch einmal
knapp entgangen, er donnert gegen die Langstraße zu. Die Langstraße. Wer das so hört und
sie nicht kennt, was stellt der sich dabei vor. Eine
lange Straße zum Hinbummeln? Müssen Sie sich
einmal ansehen. Lang ist sie immerhin, man zieht
mit langen Schritten aus, da ist eine Unmenge
Zeit sich in Begeisterung oder Ablehnung zu stei-
gern, man möchte den Demonstranten neben
sich gerne fragen, was hat dich in die Langstraße
gebracht. In ihn hineinsehen. Durch hundert
Verschachtelungen hindurch seinen wunden
Punkt entdecken. Den Punkt, wo die Welt das
erste Mal verwundet wurde. Den ersten dunklen Kinderzorn über eine Ungerechtigkeit. Den
ersten ohnmächtigen Schrecken vor einer rohen
Handlung. Hundert Verschachtelungen. Trübungen schieben sich dazwischen, die Feinde werden ungreifbarer, laß dich nicht blenden von diesem scheinbaren Nichtmehrvorhandensein. Laß
mich unter deine Gedanken schlüpfen, wo ist

dein Ahnenbild. Dein wunder Punkt. Aber vielleicht muß er in solchen Momenten des Demonstrierens notwendig verschwinden. Untertauchen. Damit nichts die Gegenwart ablenke. Nichts sie verkleinere. Vielleicht muß man im offenen Protest wie in einer jähen Umhüllung sein ganzes Herkommen vergessen. Eine erinnerungslose Kraft entstehen lassen. Die sich plötzlich wie eine aufquellende Gewitterwolke auseinanderlöst, sich in ungeahnte Formen aufkräuselt und dann die klarsten Wolkengebilde über den Himmel schickt. Dein Ahnenbild. Morgen hat es sich fortverwandelt. Das Ahnenbild einer ersten Empörung. Eines plötzlichen Blickes für Verhältnisse. Meist stehen diese Bilder ohne Beziehung zu den jetzigen akuten Bedürfnissen. Eine fast fremde Anklage hangen sie in deinem Gedächtnis, im feinen Schleier des Alterns. Aber gerade diese Spur von Fremdheit macht sie zum tiefen unablässigen Stachel, siehst du wieder die Ahnenbilder über dem Eßtisch im alten Toskaner Haus. Lagen da nicht getötete Hasen und pralle golddunkle Trauben beieinander, erstarrte Fliegen auf mattschimmernden Pfirsichen und das tiefrote Fruchtfleisch aufgebrochener Wassermelonen. Oder schauten die längst Verstorbenen der Familie aus den Bildern, warum kann ich mich nicht mehr erinnern, immer nur steht Virginia darin. Virginia hat alle die ernsten florentinischen Gesichter verdrängt, Virginia, die mit zwölf Jahren auf den Hof, in das Landhaus kam, immer noch da ist, krumm gebeugt von Alter und Arbeit und der nur langsam sterbenden Ungebrochenheit. Virginia füllt alle Ahnenbilder aus, ich denke an das Haus, Parugiano sagen die Bauern von Montemurlo, und es wird zu: Virginia. Wie sie im Innenhof steht. Sich über die rotfarbene Brunneneinfassung beugt. Es war kaum sechs Uhr morgens im August, die Hitze schien die ganze Nacht über gedauert zu haben, so beharrlich beständig lehnte sie schon gegen die verschlafene, halboffene Einfahrt von Parugiano. Ich lief im Nachthemd durch den Verbindungsgang, der zu den abgelegenen Kammern führte, wo gebügelt wurde, wo die Trauben auf Grasmatten zum Trocknen lagen und in glänzenden Häuten das Fett in Ballen von den Gestellen baumelte. Die Fenster gegen den Innenhof standen offen. Der Verputz bröckelte ab, aber immer noch schlossen die Mauern flammend rot die Stille hier ein. Das lose Geplätscher. Ein kurzes Aufklatschen. Ich stand im Verbindungsgang und horchte. Woher kam es. Und dieser Geruch, der die warme Luft hochschwamm, ein trüber Geruch, der sich wie eine durchdringende Übelkeit in einem festsetzte, ich roch an den glänzenden Fettballen, doch von da kam er nicht, ich stieß die Tür ins Bügelzimmer auf, es lag dämmerig und leer. Das Geplätscher. Ich lief in den Verbindungsgang zurück, lehnte zum Fenster hinaus. Virginia. Da stand sie an der Brunneneinfassung, tief gebückt, schmutziges Wasser rann ihr über die Schürze, sie hob und schwenkte etwas Plumpes, Faltiges hin und her und breitete es über dem Brunnenrand aus, es war wie von schleimigen Algen überzogen, Virginia griff mit den bloßen Händen hinein und strich das Schleimige sorgfältig fort. Der Geruch war jetzt fast unerträglich. Virginia! rief ich, was ist das. Sie ließ die Hände in den schleimigen Falten liegen und wandte langsam den Kopf zu mir herauf. Sie lachte. Die Kuhmägen! gab sie in ihrem singenden Tonfall zurück. Aber das Grüne, die Algen? Sie schrubbte unentwegt über die Häute gebeugt weiter. Das ist das Gras, das die Tiere noch gehabt haben! rief sie, die nassen Mägen klatschten ihr gegen die Schürze. Zwischen den roten Mauern war nichts sonst zu hören. Nur dieses Aufklatschen, dieses Schwenken und Auseinanderfalten hallte in leisen Verdoppelungen wider und und das schmale Rechteck Himmel darüber war wie aus blauem Glas geschnitten. Mit den Dachabschrägungen des Innenhofes schien die Welt aufzuhören. Was dahinter lag. Gab es das wirklich. Das Überzivilisierte. Die angekränkelten Zweifel. Die verschwommenen Fragen. Übersättigung. Gab es ihn irgendwo noch, den Totenkäfer Schweiz. War denn nur schon, vor Virginia, diese Toskaner Familie wirklich, deren feine Wäsche zu schmal gefalteten Bündeln sortiert im dämmerigen Bügelzimmer lag, vereinzelt noch mit den geschwungenen Monogrammen bestickt, abgestanden, vergessen im alles überschwemmenden Geruch vom Innenhof her, wo Virginia die Kuhmägen wäscht, langsam den Kopf heraufwendet und lacht, lacht zwischen den flammend roten Mauern und jeder Zentimeter Wirklichkeit ist

Oft waren wir allein im Haus. Die Familie lebte in der Stadt. Virginia hantierte ungestört in der Küche, die bei der Einfahrt lag, mit einem Fenster gegen den Innenhof, in dem die Nachmittagsstunden stehen blieben. Virginia schien von hier aus eine unsichtbare Herrschaft über das unbelebte Haus auszuüben, sie besaß ein selbstverständliches Bewußtsein darüber, daß es nun ihrer Macht überlassen war. Von Zeit zu Zeit unternahm sie einen Gang, von Zimmer zu Zimmer, mit einer aufmerksamen, schwerfälligen Güte schaute sie nach allem, sie sorgte sich um das Haus wie um ein altes verlassenes Muttertier. Sie hielt sich nie länger als nötig in den verschiedenen Räumen auf. Dann kehrte sie wieder in die rußgeschwärzte Küche zurück. Sie zog die Mangoldblätter aus dem kochenden Wasser, zerhackte sie unter bedächtigen Bewegungen mit dem Wiegemesser und formte kleine Kugeln daraus, die dann im Olivenöl brutzelten. Ludovica und Alessandro, die Jüngsten der Familie, waren noch zum Abendessen gekommen, essen wir doch alle zusammen! schlug ich vor. Virginia wehrte ab. Sie beharrte darauf, allein im Zimmer hinter der Küche essen zu können. In ihrem Widerstand lag nichts Beschämtes, im Gegenteil, sie schaute mich ruhig über die brutzelnden Mangoldkugeln hinweg an, in ihren Augen stand fast zu lesen: dieser Vorschlag wäre eine Zumutung.

Ich ging zu ihr, wo ißt Virginia. Das Zimmer ist hoch, es wirkt etwas leer, mit einer unregelmäßigen Wölbung, in der Mitte steht ein schwerer Tisch. Eine unförmige Kommode füllt die Ecke gegenüber dem Eingang, dort wäre auch der Madonnenwinkel, wäre der Platz für abgebrannte Kerzenstümpfe, für eine aufziehbare Heilige Jungfrau, aus deren bengalisch beleuchtetem Bauch das Ave Maria spielt. Aber Virginia mag solche Sachen nicht. Sogar die Papstbildchen hat sie alle in eine Schublade gesteckt. Wenn Virginia so zwischen den kahlen Wänden sitzt, möchte man gerne denken, sie hat fast etwas Freidenkerisches. Dort, wo sonst der Madonnenwinkel wäre, hat sie ein Radio hingestellt, einen altmodischen Kasten mit gelblich abgegriffenen Tasten. Es ist mir noch nie gelungen, einen Sender darauf zu bekommen, ob Virginia ihn überhaupt benützt, ist ungewiß, jedenfalls läßt sie sich die neuesten Beschlüsse über Krankenkassen- und Rentenangelegenheiten stets ausführlich von den Pächtersleuten erzählen, die jeweils zum Kaffee herüberkommen. Um die Mittagszeit ist das Zimmer ziemlich düster, das Fenster läßt nur gegen Abend ein bißchen Sonne durch, im angrenzenden Hühnerhof wächst zudem ein Feigenbaum, der alles Licht schluckt, Virginia kann zum Fenster hinaus nach den bläulichen Früchten langen. Da sitzt nun Virginia und ißt, langsam, sie hat sich die verschiedenen Gerichte alle auf eine Platte zusammengeschüttet. Sie wendet sich nach keiner Seite um wenn sie ißt, sie hat sich möglichst nahe an den Tisch gedrängt, so nah, daß sie notwendig immer schief dasitzt und die hintersten zwei Stuhlbeine bedrohlich in die Luft abstehen. Den Teller hat sie ganz mit den Armen umfangen, als möchte sie ihn abschützen gegen jede Störung, jede Zudringlichkeit, als möchte sie wenigstens für die kurzen Stunden des Essens in eine unentwendbare Geborgenheit entrinnen

Virginia redet nicht viel. Auch die Arbeiter auf dem Hof wissen das. Obwohl ihre Stimme manchmal immer noch durch das ganze Haus tönt, aufgebracht über irgend etwas, und von einer Stärke, als riefe es zum Jüngsten Gericht. Aber meist setzt man sich zu ihr in die Küche, man will sie ein bißchen belustigen, man erzählt ihr etwas eben Vorgefallenes, will man sie zerstreuen? Allmählich sieht man ein, daß das eine Unsinnigkeit wäre. Man verstummt wie zufällig, sitzt einfach da und schaut ihr nur noch zu. Ich habe einen Großneffen in der Schweiz, berichtet sie auf einmal gesprächig, es muß in einer Stadt bei einem See sein, gibt es das? Sie schaut mich prüfend an. Ich nicke. Er soll ganz blond sein, sagt sie, ein blondes Kind! Sie hat plötzlich eine ganz helle, lebhafte Stimme, als müßte sie sich der Beschreibung des Kleinen anpassen. E con gli occhi celesti celesti! Jetzt erinnert sie sich, daß sie eigentlich noch die Geburtsanzeige haben sollte, sie geht zur Kommode im hinteren Zimmer und macht sich an einer besonderen Schublade zu schaffen, in der sie alle ihre Sachen versorgt. Diese

Schublade ist ihr kostbarster Besitz. Der letzte zusammengeschrumpfte Raum einer eigenen Welt. Es ist eine kleine, wirre Sammlung verschiedenster Gegenstände. Alte Ansichtskarten, Todesanzeigen, Reste von Spitzenborten, eine Abbildung vom Heiligen Blut in Neapel, ein Fläschchen Rosmarinwasser, das ihr noch ein Partisane geschenkt hatte, ein in durchsichtiges Papier gewickeltes Stückchen Nougat aus Frankreich. Und die Mokkatäßchen. Sechs, sieben, neun sind es. Wo hast du die her, Virginia. (Diese kleinen Fremdlinge.) Aus hauchdünnem Weiß, mit goldenen Blättern überstreut. Die habe ich in Prato auf dem Markt gekauft. Ich schaue Virginia fragend an. Einfach so, sagt sie stolz und unzugänglich. Die Mokkatäßchen. Dieser feine schmerzende Stich. Dieser verschlossene Wunschtraum, unsichtbar abgesperrt in einer Schublade. Virginia. Die nie eine eigene Haushaltung, eine eigene Familie, nie eigenen Besuch gehabt hat, um die Mokkatäßchen aufzutischen

Gehen wir in die Galerie? Virginia kommt eben von einem Gang durch das Haus zurück, sie ist einverstanden, kehrt nochmals um, wir laufen durch die ebenerdigen Zimmer der hinteren Gartenseite. Gitter vor den Fenstern, welke Bilder, in einem verhängten Raum gackert ein aufgeschrecktes verirrtes Huhn. Im entlegensten Teil des Hauses, hinter dem chinesischen Zimmer, liegt der Aufgang zur Galerie. Man geht die breite Treppe hoch und steht vor einer großflügligen

Türe, aus einem Luxusdampfer wieder in dieses Haus versetzt, einst einen raffinierten Doppelzweck erfüllend: auf der einen Seite Chorwand der auf dem Ozean mitschwimmenden Kirche, auf der anderen Seite Hinterwand des Ballsaals. Virginia hält ein bißchen inne vor dem Aufgang, es ist muffig hier, sie scheint da fast absichtlich nie zu lüften, soll sie im Frieden und ungesehen vermodern, die alte Galerie. Wie aus langer Vergessenheit leuchtet der Goldfirnis von der Türe her, nur von einer einzigen schmerzhaften Linie beunruhigt. In Überlebensgröße. Von Pfeilen durchbohrt. Der Heilige Sebastian. (Der wiederholte Schrecken, ein Geköpfter hange am Eingang zur Galerie.) Die schmalen Pfeile stecken ohne die kleinsten Blutrinnsale im schon fast leblos gebogenen Körper, der Schmerz hat sich völlig im nach hinten gekrümmten Kopf angesammelt, wo ist überhaupt das Gesicht, es ist nicht sichtbar, der Heilige Sebastian ohne Kopf, nach hinten gequält, in der aufgequollenen Halsader sitzt der tödliche Pfeil, und darüber unbeweglich der blaue Himmel gemalt. Ein paar spitze schwarze Zypressen. Ein regloses Mittagswölkchen. Hintereinander dunkelnde Hügel. Die toskanischen Bauern, die am Schmerzensbaum hangen, den dunklen Stolz durchbohrt. Virginia schaut das Bild an. Etwas Zweifelndes, Abwägendes zieht zwischen zwei Sekunden über ihr Gesicht. Dann dreht sie den Schlüssel im Schloß. Die für den Ballsaal bestimmte Türe springt auf, wir sehen uns eintreten im hintersten Wandspiegel der Galerie. Wild gebückte Faune grinsen uns aus verzerrten Grimassen entgegen. Kerzenleuchter. Kleider aus seltenen Stoffen. Altes Zubehör zu verschiedenstem Schreibgerät. Entwürfe des Urgroßvaters. Stapel von Entwürfen. Für Luxusdampfer. Für die Brücken in Rom. Dazwischen Stiche von Parugiano, ganze Seitengänge mit arkadischen Landschaften. Virginia stößt eines der hohen Fenster auf. Aus dem Gartenteil, wo die Zitronenbäumchen stehen: nichts als Stille. Hie und da ein paar abgeschwächte Rufe, ein fernes Rollen auf den Steinplatten hinter dem Teich, die Arbeiter spritzen die Fässer für die bevorstehende Traubenernte ab. Virginia rührt sich nicht, sie läßt mich nachsichtig herumschauen, nur jetzt lehnt sie sich etwas bequemer über das Fenstergesims. Da bricht ein ohrenbetäubendes Geknatter los, das in einem schrillen, in beständiger Höhe bleibenden Ton endigt. Ich sitze wie zusammengedonnert auf einem Sessel, schaue verblüfft nach Virginia, die mit einem maliziösen, fast verschmitzten Lächeln am Fenster lehnt. Es schrillt unaufhörlich weiter, sie wiegt langsam den Kopf, befriedigt überblickt sie die Galerie. Warum beginnen die alten Faune nicht davonzutanzen? Inzwischen sind ein paar Arbeiter herbeigeeilt, Virginia winkt beruhigt ab, sie beugt sich aus dem Fenster: hier ist der Räuber der Padroni! Die Arbeiter drohen lachend etwas herauf, dann ist nichts mehr zu hören. Schöne Alarmanlage, wird selten benützt, sagt sie mit undurchsichtigem Bedauern zu mir beim Hinausgehen

Die Zitronenbäumchen zwischen den dunkelgrünen Lorbeereinfassungen. Kleine flackernde Wimpel. Gefährlich in der Stille. Der trügerischen Stille. War nicht ganz Parugiano von Alarmanlagen durchzogen, wie von feinen unsichtbar schwellenden Adern? Nachts, wenn ich schon fast schlief unter der gewölbten Decke mit dem lichten Wald übermalt, den blassen Vögeln auf den äußersten Zweigen, die mit derselben Unermüdlichkeit immer im Begriff standen auszufliegen, nachts noch drangen die letzten Sirenen von Prato durch die schwarzen Felder herüber, der letzte Schichtwechsel in den Fabriken, die sich immer mehr verzweigten. Sich als staubig wuchernder Kranz um Parugiano schlossen. Oder ich stand hinter dem leicht angelehnten Fenster im Verbindungsgang, sah durch den Innenhof in das Fenster der Küche hinein, sah durch das Küchenfenster die Türe zum hinteren Zimmer offen, wo Virginia versunken beim Abendbrot saß. Jeder Zentimeter Wirklichkeit. Oder bereits schon eine Art Aberwirklichkeit oder Unwirklichkeit? Irgendwo zitterte eine Sehne in übergroßer Spannung, irgendwo sprang eine Feder, hätte alles wie eine gläserne Landschaft zerbrechen können. Einmal, in einem Stummfilm, sah ich das Erdbeben von San Francisco. Hinter einem von Regentropfen beschlagenen Fenster (Sie wissen, wie in alten Filmen der Regen hinter den Fenstern rinnen muß, in verlangsamten glitzernden Tropfen, als zögerte darin nochmals eine numinose Welt vor dem Zerrinnen: die letzte Melancholie alter Filme, daß dies Wunderwerk von Illusion nur in den Kulissenscheinwerfern erstrahlt), hinter einem solchen Fenster sah man ganz San Francisco auseinanderbersten, lautlos, langsam, im Zeitlupentempo, die Häuser blätterten wie dürrer Mohn auseinander, losgelöste Balkone schwebten über versinkenden Straßen, schwankende Straßenlaternen verschwanden in der zu tausend Spalten auseinanderfallenden Erde. Der Verbindungsgang von Parugiano, das ist ein dunkles Kino, wo man ohne Empfindung sitzt, empfindungslos vor einem fremd gewordenen Schauspiel. Vor einer längst fälligen, unhörbar sich auseinanderfaltenden Katastrophe. Aber im Verbindungsgang stehen, hinter dem angelehnten Fenster, ist das eine Stellung. Glaubst du der Täuschung, es folge nur ein Schauspiel? Oder forderst du: Wirklichkeit. Jeder Zentimeter eine Wirklichkeit. Das wird auch vor dir nicht Halt machen, auch du mußt ins Unberechenbare geraten, in die auseinanderfallenden Häuser, niemand weiß, wie das endet. Ich bin nochmals eingeschlafen unter den blassen Vögeln. Wenn ich träume, sehe ich mir zu wie einem dazugekommenen Menschen, alles was ich darin erlebe, erlebe ich doppelt, doppelt bewegungslos vor jähem Schrecken, doppelt von Glück überwandert. An welchen gemalten Waldrand haben sich die Vögel verflüchtigt, ich sehe sie nicht mehr, Parugiano ist so schwarz geworden, sind die letzten Sirenen zwischen den Feldern ertrunken? Da sehe ich mich auftauchen aus den schwarzen Wänden, ich bin eine Himbeere geworden. Mein Kopf ist eine große scharlachrote Himbeere. Übergroß sehe ich die aneinander gedrängten runden Erhöhungen, von feinem Flaum besetzt, jetzt höre ich den Mund herauf (ich habe einen tiefen gewölbten Kehlraum) ein hohles Scherbeln, jetzt ein immer mehr anwachsendes Bersten, die Zähne, der Kiefer fallen mir auseinander, in meinem Kopf ist ein tosendes Krachen, dabei ist alles so still, jetzt zerspringen mir die Stirnwände, die Schädeldecken krachen mir auseinander, die ganze große scharlachrote Himbeere zerbröselt, zerfällt

Bin ich eine Himbeere, Virginia? An die jemand streift in der Nacht, und sie fällt auseinander. Bist du das starke, ungebrochene Lachen zwischen den flammend roten Mauern im Innenhof. Das wäre ein Trost, Virginia, ein Trost in schiefen Verhältnissen, ein Stückchen Bewunderung für die davon Betroffenen, und unsere Unruhe reißt ab. Man hat uns die falsche Bewunderung gelehrt, bewundern und jedes Betroffensein darin verabschieden, und jede Unruhe wird ein Überfluß. Virginia, die alle solche Bewunderung brüchig werden läßt. Wir sitzen am Kamin, die Oktoberabende sind kalt in alten Landhäusern, auch Virginia hat sich in einem Sessel unter den matt beleuchteten Ahnenbildern dazugesetzt. Woher von neuem, ohne auch nur den Mund aufgemacht zu haben, den irritierenden Eindruck, man hätte, wie man so vor ihr sitzt, etwas leicht

Unechtes an sich? Das kommt einem ganz grundlos. Man sieht Virginia in ihrer Küchenschürze unter den Ahnenbildern sitzen, die leiseste Achtung vermischt sich mit der unüberhörbarsten Unruhe. Bewunderung als etwas beruhigt Geschlossenes ist nicht mehr möglich, sie ändert sich, sie wird etwas Forschendes. Eine höchste Form der Aggression. Der dunkle Hintergrund auf den Ahnenbildern verschwimmt mit dem Dunkel vor den Fenstern, manchmal knackt ein Holzscheit im Kamin, knistert eine kurze Flamme hinter dem durchbrochenen Eisenfächer. Virginia sitzt da, ohne sich zu rühren, fast ein bißchen steif, bestimmt nicht, weil sie sich etwa genieren würde, in ihrer Schürze voll von Olivenölspritzern ganz in den Sessel zu lehnen, eher aus einer Art lebenslanger unauffälliger Verachtung dem prunkvollen Mobiliar gegenüber. Irgendwie ist sie sich des Kontrastes auch bewußt. Wenn sie so die gemalten Florentiner in ihren ernsten Halskrausen betrachtet, huscht etwas Überlegenes über ihr Gesicht, jetzt würde sie am liebsten wieder eine Alarmanlage loslassen, denkt man bei sich. Meist aber schaut sie in einer fast bedrückenden Wachheit vor sich hin, ich ertappte mich einmal dabei, sie mir nicht schlafend vorstellen zu können. Wenn ich nur nicht in das Spital muß, sagt sie unvermittelt, und meine Rente ist sowieso gering. Sie schaut gerade zu mir herüber. In ihren Augen ist auf einmal etwas so Schutzloses, daß ich erschrecke. Wie ein stummes unbeugsames Tier, das plötzlich seine Verwundbarkeit herzeigt. Jetzt erfahre ich auch, daß Virginia schon lange keine Ferien mehr gehabt hat. Früher, viel früher, ist sie einmal nach Neapel gereist. Ein anderes Mal hat sie eine kranke Verwandte in den Abruzzen besucht. Dann nichts mehr. In Florenz ist sie seit Jahren nicht mehr gewesen

Am Morgen fehlt Mario. Das heißt, als ich die Fensterläden öffne, geht er nicht wie gewohnt mit dem Schubkarren unten über die Kieswege und verscheucht in halb ernstem, halb gespieltem Ingrimm die herumlungernden Pharaonenhühner. Mittags stellt niemand die Orangenbäumchen aus der Glasveranda. Keiner hört gegen Abend aus dem Gemüsegarten das anhaltende Scheppern des Wasserschlauchs und das scharfe Herabsausen der Wasserstrahlen. Am nächsten Tag dasselbe. Mario ist krank, höre ich sagen. Hat eine Grippe. Von Zeit zu Zeit grassiert in Parugiano eine undefinierbare Grippe. Man erkrankt merkwürdigerweise nie in Massen daran, sondern in einer fast ordentlichen Reihenfolge hintereinander. Auch muß man dieser Grippe zugute halten, daß sie stets recht kurzlebig ist, innert drei Tagen ist sie noch beinahe in jedem Fall wieder abgeflaut. Keiner regt sich auf, wenn es heißt, Pirimpi oder Corinto hätten die Grippe erwischt, obwohl der Krankheitsverlauf immer gleich undurchsichtig ist. Höchstens schickt man gutmütige Besserungswünsche den Betroffenen nach. Dennoch sieht Mario ziemlich heruntergekommen aus, als ich bei ihm hineinschaue, oder sieht man erst jetzt, im halbverdunkelten Zimmer, zwischen den schmuddligen Bettbezügen, wie verarbeitet sein Gesicht ist. Er freut sich, daß jemand kommt, mit den Händen fährt er verlegen über die Decke. Er hat kein fiebriges Gesicht. Nur Müdigkeit steht darin. Unverhohlene Müdigkeit. Ein fast quälender Überdruß. Er lächelt mir skeptisch zu. Er spielt nicht Verstecken. Seine Frau, eine Kalabrierin, bringt eine dünne Minestra. Das Schlafzimmer scheint auch eine Art Stapelraum zu sein, in den Ecken stehen Kartonschachteln durcheinander, ein paar Eßvorräte und verbilligtes Waschpulver aus Aktionen. Die Frau lehnt sich gegen den Spiegelschrank, eine hilflose venetianische Imitation, das Schloß knarrt leise unter ihrem Gewicht. Über ihrem schwarzen Haar reicht der verschnörkelte Aufsatz fast bis zur Decke, alte Panettoneschachteln liegen quer darauf, riesige eingedrückte Panettoneschachteln mit aufgetrennter Wolle. Vor dem Krieg hätten Sie uns sehen sollen, sagt die Frau zu mir, und ihr Gesicht wird jetzt noch hart vor Erbitterung. Jetzt sind wir wenigstens im Arbeiterverhältnis. Da können sich die Padroni nicht mehr alles erlauben. Aber damals. Kaum einmal bares Geld. Wie das Vieh haben wir gewohnt. Sie schweigt. Mario löffelt die Minestra. Plötzlich schaut er auf. Wissen Sie, wieviele Arbeiter jährlich in den Fiatwerken krank sind? Ich schüttle den Kopf. Er nennt eine schwindelnde Zahl. Gewitzigt lacht er zwischen zwei Löffeln zu mir herüber. Drei Tage kann man dort krank sein ohne Lohnausfall. Was mir mein Bruder darüber erzählt hat! So am dritten Tag hat man meistens genug vom Ausspannen, obwohl einem der Akkord immer noch in den Gliedern juckt, da geht man dann zu seinen Bekannten und repariert ihnen das Auto. Mario tippt sich mit dem Löffel gegen die Stirne, was meinen Sie, ohne einen ausgiebigen Schwatz und ein feudales Essen geht sowas nie ab. Die Frau lacht kurz auf und geht in die Küche. Mario stützt sich in den Kissen auf. Er blinzelt. Und draußen? frägt er trocken, Parugiano, arg am Verdursten, die Sache? Dann lehnt er sich einsilbig zurück. Ein paar aufgestörte Mücken surren gegen das Spiegelglas, prallen ab und fallen in die Bodenritzen. Mario ist schläfrig geworden, hin und wieder zuckt seine Hand noch über die Decke, was haben wir für perverse Verhältnisse großgezogen, wo man krank werden muß, um noch einen letzten verkümmerten Überrest eigener Verfügungsmacht zu spüren

Virginia brauchte immer länger für ihre Arbeit. Früher wußte man, an Samstagen, so gegen sechs Uhr abends, ist sie in der Kapelle, um sie für die Sonntagsmesse herzurichten. Jetzt benötigte sie schon den ganzen Nachmittag dazu. Schwerfällig ging sie nach dem Mittagessen durch den Gemüsegarten, mächtige Büsche von Rhododendron unter die Arme geklemmt, und verschwand damit in der an die Mangoldbeete angrenzenden Sakristeitüre. Von der anderen Seite kommt man, von den Feldern her, durch ein Pinienwäldchen zur Kapelle. Virginia stand im kurzen Mittelgang und goß aus Kübeln Seifenwasser auf die Fliesen, in denen die alten Familiengräber eingelassen sind. Immer öfters stützte sie sich auf den Schrubber und schaute gedankenverloren in der Kapelle herum, die Rhododendronbüsche hatte sie in wilden Haufen auf den Altar gelegt, mit nassen Schuhen stand sie in den sich immer weiter ausdehnenden Lachen schäumenden Seifenwassers. Von Zeit zu Zeit machte sie sich an die Bilder heran und fuhr der heiligen Maddalena dei Pazzi, die hier ihr asketisches Leben beschlossen hatte, mit einem auf einen Besenstiel gestülpten Lappen über das ausgehungerte Gesicht. Dann wieder goß sie mit Seifenwasser um sich, Kübel um Kübel, mit einer heiligen Ignoranz versetzte sie die ganze Kapelle in einen sintflutartigen Zustand. Ihr Gesicht schien erhitzt von einer geradezu wohligen Anstrengung, einmal hörte ich sie, zwischen dem gegen die Wände platschenden Seifenwasser, in einen lauten Singsang fallen, sento il fischio del vapore l'è l'mio amore che 'l và via. Oft wurde es verdächtig geräuschlos, dann konnte man Virginia finden, wie sie auf den Altarstufen saß und sich ausruhte oder das chaotische Durcheinander überblickte. Umgekippte Kniebänke, umgefallene Besen, aufeinandergetürmte Kübel, verstreute Rhododendronbüschel, und überall, strahlenförmig, die letzten hartnäckigen Rinnsale des ausgegossenen Seifenwassers. Irgendwie war mir der Aufwand für das Putzen der kleinen Kapelle immer zu groß erschienen. Bis ich begriff. Virginia, Bänke und Bilder verrückend, alles mit Unmengen von Seifenwasser überschwemmend, war das nicht ihr Protest? Ihre Mißachtung der am Sonntagmorgen wieder hierarchisch geordneten Kapelle? Unten im Mittelraum die Landarbeiter. Hinten, durch die Sakristeifenster der Messe beiwohnend, der Pächter und die Hausangestellten. Oben, auf einer halsbrecherischen Empore, durch ein schräg gegittertes Pappfenster und Plüschvorhänge fein säuberlich abgetrennt, die Familie. Die Padroni. Aus dem Mittelraum ein träges Gemurmel. Auf dem theatralischen Empörchen meist kühles Schweigen. Giovanni ministriert, Giovanni, der die Aufsicht über die Weinkeller hat. Angeheitert trägt er das Meßbuch umher, schließt es bei völlig unpassenden Stellen, befördert es ohne ersichtlichen Grund fast ununterbrochen von einer Altarseite auf die andere, sorgsam bemüht, möglichst nüchtern und aufrecht zu wirken. Einmal nickt er während der Predigt ein. Gerade in eine längere Verlegenheitspause hinein erwachend, fährt er erschreckt über die ungewöhnliche Stille hoch, meint, es sei bereits Wandlung und schüttelt kräftig die schrillen Meßglöcklein. Virginia kniet zusammengekauert in ihrer Bank, unzugänglich hinter ihrem schwarzen Schleier, schon auf dem Rückweg durch den Gemüsegarten faltet sie ihn wieder zusammen, ihr wüßte ich nicht zu erklären, weshalb ich nicht mehr in die Messe komme, wortlos schaut sie mir durch den aufge-

schossenen Mangold hindurch entgegen. Gibt es
da überhaupt Argumente, Virginia, die vielen
Gegengründe, weshalb hätten sie für dich eine
besondere Eröffnung sein sollen? Wie der Mangold zwischen uns aufschießt

Virginia ging durch das Haus, als stocke ihr das
Leben zwischen den Händen. Plötzlich griff sie
nach den Rändern einer Schüssel, nach einer
Fensterbrüstung, einem Tisch. Sie griff wie nach
Halt suchend darnach und doch ganz abwesend.
Alles, was sie unternahm, glitt wie in ein zweites,
verlangsamtes, verzögertes Leben. Die Pausen
während den Mahlzeiten wurden immer länger.
Wir saßen tatenlos um den großen Eßtisch. Warteten. Tauchten das weiße Brot, das in runden
Scheiben noch vom Frühstück da lag, in Olivenöl, streuten Salz darüber. Und warteten. Nicht
einmal die Signora wagte eine Beschwerde. Wir
saßen im stets etwas dämmerigen Eßzimmer und
warteten, als gäbe es nichts anderes mehr als das
Gericht, das Virginia hereintragen würde. Auf
den golddunklen Trauben an den Wänden erstarrten nochmals die Fliegen, noch einmal zuckte das Schwarz in den Pupillen der getöteten Hasen. Die Signora saß da, beinahe hilflos in ihrer
Schminke, dem von geschweiften Fasanen be-
druckten Kleid. Virgina hatte uns in unbekümmerter Fraglosigkeit ihre eigene Zeit aufgezwun-
gen. Endlich erschien sie unter der Türe mit einer
Schüssel, stellte sie mit ruhigen Augen auf den
Tisch

Wo laufe ich denn. Bin ich noch in der Langstraße. Plötzlich wieder, vor offenen Augen, als flockte Schimmel aus der Luft, blaugrüner Schimmel, der Weg durch die Olivenbäume. Sonntagabende. Ausgestorben führt der Weg die leichte Anhöhe hinauf. Irgendwo übergibt sich ein Betrunkener. Etwas abseits ein kleiner Fiat, aus dem manchmal zwei Arme hochfahren, eine halbe Umarmung, unterdrücktes Lachen. An vielen Stellen wachsen die Bäume oben fast zusammen, sie sind niedrig, man läuft wie in einer schattiggrauen Allee, immer, auch bei Windstille, rascheln die Blätter in heller Nervosität. Am Werktag ducken wir uns auf den Traktoren unten durch. Pirimpi holpert in rasendem Tempo die Anhöhe hinauf und lacht. Hinter den Olivenbäumen sind die Rebberge. Die Traubenernte hat begonnen. Zu mir her mit der Signorina! ruft Corinto, bei mir kann die Schweiz einmal Hand anlegen! Er steht auf der anderen Seite, zwischen uns, festen Drähten entlang gespannt, die Trauben. Wir werfen sie in denselben Plastikeimer. (Früher hätten Sie das sehen sollen, raunt er mir zwischen den Blättern hindurch zu, das war ein Fest! Alle Jungen von Montemurlo halfen mit. Was da für Schabernack getrieben wurde. Und jeden Abend war Tanz und frisches Traubenbrot wurde aufgetischt. Aber jetzt, auch Fresco nebenan macht ein schiefes Gesicht, wir sind alles nur noch Alte hier, haben Sie gesehen?) Aber die Trauben fallen immer noch flink in die Eimer, die Reihen lichten sich, nach ein paar Stunden hat man blaue Hände und einen steifen Rücken. Die Arbeiter haben fast gemächlich begonnen, halten aber das Tempo durch. Meist hat man ein Gewirr von Blättern und Schößlingen und in die Drähte verwickelten Traubenbüscheln zwischen sich, man sieht von seinem Gegenüber nur oben den Hut wippen und unten rasch die Finger durchgreifen. Finger. Auf einmal bemerke ich, wie eine Hand so ein Traubenbüschel umspannt: ein Finger fehlt. Abgeschnitten. Ein bißchen später, schon fast gespenstisch, wieder eine Hand: ein anderer Finger ist abgeschnitten. Kleine mürbe Stümpfe. Unglaublich selbstverständlich verschwinden sie wieder zwischen den Blättern. Oben wippen die Mützen, dahinter die violetten Hügelkämme, scharf wie aus Glas. Ein paar spitze schwarze Zypressen. In der aufgequollenen Halsader der tödliche Pfeil. Das langsame Gift. Unruhig der Goldfirnis von der großflügligen Türe her, wann springt sie auf. Nach einer Woche sind wir soweit vorgerückt, daß von Parugiano nur noch ein paar ziegelrote Dächer hinter den Olivenbäumen zu sehen sind. Mit jedem Meter weiter weg von Parugiano wird eine Minute früher Schluß gemacht. Die Gesichter unter den Mützen schmunzeln, andiamo! ruft es langgezogen durch die Reihen. Einmal werden wir mitten am Nachmittag von einem Platzregen überrascht. Jemand hat zwar die bedrohliche Wolke über Montemurlo gesehen. Aber niemand glaubt an etwas Ernstes. Bis der Regen losbricht. In hellstem Durcheinander werden schnell noch ein paar Eimer zusammengeschüttet und unter eine Plache gestellt, jetzt wohin? Ein paar Sekunden stehen wir ratlos im schon in Strömen an uns hinunterrinnenden Regen, dann drängen wir uns unversehens, ohne Abmachung, langsam alle auf Primos Traktor zusammen, drängen uns aneinander unter dem großen Windverdeck, das seinen Traktor überspannt. Unsere Kleider dampfen in der nassen Wärme, wir rutschen uns zurecht, auf den Gesichtern glänzt der Regen. Keiner spricht besonders viel, ein paar spaßhafte Bemerkungen, ein aufgeräumtes Schweigen. Etwas Hellhöriges ist plötzlich in den Gesichtern aufgebrochen. Langsam verrauscht das Prasseln auf dem Windverdeck. Der Regen hat nachgelassen. Jetzt hört er ganz auf. Die Trauben glänzen schwarz, von Tropfen behangen. Auf der Anhöhe liegt die Kirche von Montemurlo schon wieder in gleißendem Sonnenlicht. Keiner rührt sich. Keiner nimmt die Arbeit wieder auf. Wir rücken sogar noch behaglicher zusammen, eine heitere Verschwörung. Wir kommen ins Plaudern, sitzen unter dem Windverdeck, als hätten wir einen Festtag ausgerufen. Alle Arbeit niedergelegt! Ein spontaner Streik. Sähe uns doch jemand. Sähe uns doch ganz Parugiano. Ganz Montemurlo. Diese jäh über uns gebrochene Selbstherrlichkeit. Im unvorhergesehensten Moment: diese plötzliche Glückserfassung

Niemand hat uns gesehen. Eines Morgens fehlt auch Virginia. Nicht daß ihr Fehlen sonderlich auffiele. Es erscheint anfänglich nur wie eine ihrer vielen Verzögerungen. Erst als auch gegen Mittag die Küche immer noch unberührt daliegt, niemand unter dem Feigenbaum den Hühnern das Futter ausstreut, greift einen die Leere an als wäre einem eine unsichtbare Güte entzogen worden. Als sähe man in den dunklen Untergrund, in den Virginia hineingegangen ist. Sie liegt oben in ihrer Kammer, sie hat sich alle Besuche verbeten, sie liegt hinter dem verlassenen Bügelzimmer, hinter den Zimmern wo die Trauben für den Vin Santo trocknen, hinter den Gestellen wo auf den baumelnden Fettballen sich die Schweißtröpfchen sammeln. Das Aufsteigen des längst verloren geglaubten bodenlosen Gefühls, wenn die Mutter zuhause krank war. Wie war das. Wie: als ich die lange schmale Schokoladenschachtel beschädigt in der Hand hielt, die mir jemand geschenkt hatte, ich weiß nicht mehr wer, immer schien mir, es müßte jemand von weit her gewesen sein. Über der Schachtel lag ein Hauch von Exotik. Die äußere Umhüllung stellte eine altmodische gelbe Straßenbahn dar, in die kunstvoll kleine Fenster mit grünweiß gestreiften Vorhängen eingeschnitten waren. Jedes Fenster war vom andern durch einen zierlichen Strebepfeiler abgeteilt. Zog man an einem bestimmten vorstehenden Papierlappen der inneren Umhüllung, so rückten in regelmäßigen Abständen hinter den kleinen Strebepfeilern die verschiedensten Personen hervor und bevölkerten die Straßenbahn. Ein bleichsüchtiges Hamburger Fräulein mit blondem Haar und einem hellblauen Band darin, ein schwarzer Mohr mit blitzenden Zähnen und Ohrringen, ein pausbackiger Bäcker, weiter ein Pastor mit streng gefälteter Halskrause, ein Matrosenjunge in blaugoldener Mütze, schließlich eine weißbeschürzte Köchin in einem duftigen Häubchen. (Was für eine Welt- und Ständeordnung! denke ich. Daß es das damals noch gab? Was muß das für ein Jemand gewesen sein, der sie mir brachte.) Indessen war es gerade diese mit einem winzigen Mechanismus herstellbare intakte Weltordnung, die mich beim Spielen damit beruhigte, ohne jenen wunderbar dünnen Hauch von Exotik zu vermindern, der von den fremdartig bekleideten Figürchen ausging. Eines Tages jedoch war die Schachtel leergegessen und etwas an der Ziehvorrichtung blockiert. Das Hamburger Fräulein, der Mohr, der Matrosenjunge, sie ließen sich nicht mehr dazu bewegen, hinter ihre Straßenbahnfenster zu rücken. Das hatte eine Verlassenheit an sich, als wäre mir eine ganze bunt beruhigte Welt entzogen worden. Die blockierte Schachtel machte mich so traurig, daß ich sie nicht einmal nachts neben das Bett zu legen wagte. Vor ein paar Monaten, ist das nicht fast unerklärlich nach so langer Zeit, habe ich plötzlich wieder davon geträumt. Auf einmal war die Ziehvorrichtung wieder intakt, ich konnte die Figürchen wieder bewegen, sie rückten hinter den kleinen Pfeilern hervor. Aber es war alles so schwarz um mich, auch die Straßenbahn verschwand darin, und die Figürchen, wie kleine Gespenster von nirgendwoher erleuchtet, zuckten der Reihe nach hervor, kippten seitwärts und fielen ruckartig herunter, von der Schwärze verschluckt

Es wurde Donnerstag, Samstag. Virginia fehlte immer noch. Es mußte ein Ersatz gefunden werden. Schließlich erklärte sich Marianna bereit einzuspringen, sie wohnte hinter den Ökonomiegebäuden. Mit ihr kam eine überbordende Geschwätzigkeit ins Haus. Da sie meist betrunken war, bekam man nie recht heraus, wann es ihr ernst war, außerdem schien sie noch darüber zu schwanken, ob sie ihr Einspringen als Schmeichelei auffassen oder sich heimlich dagegen empören sollte. Aus undurchsichtigen Gründen bestand sie darauf, uns zu servieren (Virginia tat dies nie), was eine heillose Verwirrung in den Ablauf der Mahlzeiten brachte. In einer völlig umgestürzten Reihenfolge beförderte sie die Gerichte herein, in denen meist nur Gabeln steckten, so daß zuerst in der abgelegenen Küche wieder nach Schöpflöffeln geforscht werden mußte. Dann wieder schien sie sich während des Bedienens plötzlich daran zu erinnern, daß dabei vielleicht gewisse Abstufungen einzuhalten seien und steuerte jäh von einer Person, der sie bereits die Platte hinhielt, wieder zu einer andern. Wenn wir längst schon aßen, zirkulierte sie immer noch unter vehementen Gesprächen um uns herum, die teilweise an uns, teilweise an sie selbst gerichtet waren. Ich schaute sie manchmal von der Seite her forschend an, um irgend ein Zeichen darüber zu erhalten, ob alles nur eine listige Schikane von ihr war. Es war jedoch nicht klug aus ihr zu werden. In ihrem Herumscharwenzeln lag etwas so Plausibles, daß man nicht wußte, sollte man darüber mitlachen oder ihr zu merken geben, wie peinlich servil es wirkte. Am Freitagabend ging ich mit ihr über die hinteren Höfe nach Hause. Es roch nach Stockfischen. Sie tappte auf den Zehen durch den Gang und horchte, ob ihr seit kurzem verheirateter Sohn und die Schwiegertochter in der Wohnung wären. Die Camera dei Sposi! flüsterte sie mir zu, die müssen Sie sich unbedingt ansehen. Obwohl sich Marianna inzwischen überzeugt hatte, daß wir allein waren, behielt sie den Flüsterton bei und öffnete mit erregter Heimlichkeit die Türe zum Schlafzimmer ihres Sohnes. Ihre blaugeäderten Wangen röteten sich, als rührte sie an Verbotenem, es war fast etwas wie der schüchterne Anflug eines Inzestes. Guardi! che bello, rief sie mit unterdrückter Stimme aus. Sie schob mich an den Ellbogen ins Zimmer hinein. Dort ließ sie mich stehen, wie von einer plötzlichen Versunkenheit befallen. Mit hängenden, ineinandergefalteten Händen betrachtete sie das Letto Matrimoniale. Das Hochzeitsbett. Marianna schien es wie aus einer höheren Welt zu kommen und der ganzen ärmlichen Wohnung einen gehobeneren Stand zu verbürgen. Es war ein geradezu feudales Bett. Sonst stand nichts im Zimmer. Gar nichts. Nur dieses Bett. Dieses weitausladende Bett, mit schweren geschwungenen Laden, mit überquellendem Schnitzwerk und gedrechselten Bettpfosten. Eine starre, geradezu beängstigende Herrschaftsimitation. Als Prunkstück der ganzen Familie. Bin ich eingekerkert? Wie kahl die Wände sind. Nur dieses Bett. Mir ist, als schnitte mir jemand die Luft ab. Diese Ehebetten, die mir immer ein mit strenger Ehrfurcht vermischtes Grauen einflößten. Ins Elternschlafzimmer deiner Schulfreundinnen darfst du nicht einfach hineingehen, sagte die Mutter. Warum nicht? Warum sind die Lichter dort so gedämpft. Brennen dort überall dieselben Bernsteinschalen, in denen irre Käfer aufblähen und bleich verglühen? Warum hangen Kruzifixe über diesen Betten. Marianna streicht seufzend über die von blutroten Rosen durchwirkte Bettdecke. Sie murmelt vor sich hin, dann tritt sie mit verschränkten Armen etwas zurück, nicht wahr, sagt sie mit immer noch unterdrückter Stimme, ist das nicht ein wirklich herrschaftliches Bett? Come dei veri Signori!

Alessandro, mit seinen kaum vier Jahren, wußte warum man zu ihm Signorino sagte. Daß er im obersten Zimmer schreien konnte und sicher jemand unten im Hof besorgt darauf lauschte. Er war eigentlich ein schwächliches Kind. Dünnes hellbraunes Haar und blaugraue Augen. Das Gesichtchen, länglich und blaß, sah beinahe streng aus, hätten ihm nicht die besonders gegen die Schläfen sehr fein geschwungenen Augenbrauen etwas kindlich Verletzbares gegeben. Seine älteste Schwester schaute ihn über den Tisch hinweg manchmal nachdenklich an, wie wenn er als eine Art Besuch noch nachträglich in die Familie hineingekommen wäre. Cristina mit dem ungebärdigen schwarzen Haar. Den Kirschenaugen und der gebräunten Haut. Die sich mit Freyja, der großen Wolfshündin, hinter den Aprikosenspalieren durch die Wiesen rauft und, die gestrickte Wolljacke noch voller Grasstoppeln, in der Halle auf dem Boden sitzt, sagt: am liebsten würde ich leben wie eine Rakete. Die Signora verbringt halbe Vormittage in ihrem Schlafzimmer, an ihrem vom Fenster abgekehrten Toilettentisch. Er ist mit kleinen Vorhängen besetzt, auf der Glasplatte steht ein verstellbarer Spiegel mit schwerem, schwarzem Rahmen. Alessandro treibt sich in den Zimmern herum, hie und da gelingt es mir, ihn auf einen Lauf durch die Felder zu locken. Durch den äußeren Hof, wo die Milch zusammengetragen und kontrolliert wird, kommen wir am Schlachthaus vorbei. Einmal hat Alessandro gesehen, wie ich, jemand hatte die Türe offen gelassen, beim Anblick einer aufgehängten Kuh zusammenzuckte. Seither drängt er immer wieder darauf, beim Schlachthaus anzuhalten, erzählt mir erfundene Geschichten von aufgeschlitzten und geviertelten Kühen. Hebt die Fensterklappe an der Türe, um hineinzuschauen. Sein Gesichtchen ist ausdruckslos, fast überlegen, eher beobachtet er mich dabei, das sind meine Kühe, sagt er, weißt du das. Das Blut liegt in trüben Lachen, Alessandro verzieht keine Miene, das ist mein Schlachthaus, hörst du. Dann laufen wir durch die Felder. Stundenlang. Parugiano wird immer kleiner hinter uns. Manchmal schaut sich Alessandro zögernd um, ich zucke mit keiner Wimper. Wir laufen quer über abgebrannte Stoppelfelder, die aschige Erde stiebt schwarz zwischen den Schuhen. Gelb leuchten die Maiskolben zwischen den Blätterstauden. Alessandro will mir die Hand geben, ich muß ihn auch ein bißchen nachziehen, die Anhöhe ist abschüssig gegen Montemurlo hinauf. Die hintere Hügelseite sticht wie eine helle Marmorwüste hinter den Zypressen hervor. Unzählige, übereinandergestaffelte Gräber. Ein monumentaler Friedhof. Für das kleine Montemurlo. Ein unter perlmutterweißen Engelsflügeln erstarrter Totenberg. Braune Medaillons mit geradeaus gerichteten Gesichtern, Plastiksträuße, kornblumenblau. Eine künstliche Festung über den rauschenden Maisfeldern. Alessandro ist größer geworden, er läuft nun allein hinter dem Sarg des Großvaters her. Wir sind ein schwarzer Zug, der sich durch den weißen Marmorhügel hinaufschlängelt, weit unten liegen die Dächer von Parugiano in violettem Dunst. Benommen schauen wir hinunter, stehen vor der Wand, in die, regelmäßig übereinander geschichtet, die Gräber eingelassen sind. Fast zuoberst steht die Öffnung für den Großvater leer. Die Verwandten warten in einzelnen Gruppen, wortlos, irgendwohin abwesend, mit dem sicheren Gefühl, daß innert einer absehbaren Zeit die gemurmelten Gebete beendigt, die unvermeidlichen letzten Weihwassersegnungen verspritzt sind. Der Sarg muß sehr hoch gehoben werden, mit abgespannter Aufmerksamkeit heben sich einige Köpfe, etwas mühsam läßt er sich in die Öffnung zwängen und nach hinten schieben, die Totengräber müssen auf einen benachbarten Mauervorsprung klettern, um überhaupt weiterschieben zu können, sie krümmen die Rücken vor Anstrengung, etwas im Sarginnern holpert, plötzlich rufen sie laut, es geht nicht mehr! Die Verwandten nähern sich verblüfft, jäh aus ihrer Mattigkeit gerissen. Die Totengräber schieben von neuem, schieben und rütteln, daß von der darüberliegenden Grabplatte die Plastikblumen herunterfallen. Aber der Sarg ist nicht mehr zu bewegen. Verstockt ragt noch ein großes Drittel aus der Öffnung heraus. Die Totengräber schütteln ratlos den Kopf. Ist er denn zu groß? wundert sich jemand aus den Verwandten. Sie drängen sich noch näher zusammen. Starren irritiert auf den weit herausragenden Sarg. Dann kommt Bewegung unter sie, eine fast lebhafte Bewegung, man löst sich ab in neuen Schiebversuchen, beratschlagt, von Parugiano her kreiseln die Geräusche der Traktoren durch den flimmernd zerrinnenden Dunst. Cristina schaut sich auf einmal nach mir um, wir lachen fast zur gleichen Zeit, wir stehen wie auf einem Triumphberg, das hätten wir dem Großvater nicht zugetraut, daß er auch noch das Grab verweigern würde. Schmal und weißhaarig gewor-

den in der letzten Zeit, aber immer noch ungebrochen, widersetzte er sich hier noch einmal,
widersetzte sich so nachdrücklich, auf so unüber-
sehbare Weise, daß wir verdutzt, aus jedem vor-
hergesehenen Tagesablauf herausgefallen, den
ganzen Morgen auf dem Marmorhügel verblieben, dasaßen mit offenem Mund, angeleuchtet
von gelben Maisfeldern

Alessandro pirscht dicht hinter mir her. Die
Sumpfgräser am Bach schießen ihm bis über die
Schultern, Parugiano ist längst nicht mehr zu
sehen. Es ist noch nicht dunkler geworden, nur
etwas unmerklich Abgegrautes wächst von den
Spitzen der Zypressen her. Das Wasser stockt
träge zwischen inselartigen Grasbüscheln. Langsam röten sich die Wolken darüber. Wir haben
uns achtlos zwischen die Bachsteine gesetzt, wie
lang sind wir schon da, die Zypressen stehen so
blutig im Himmel. Plötzlich greift Alessandro
mit der Hand nach mir, eine Starre ist in seinem
Gesichtchen. Neben ihm liegt, kaum noch vom
Wasser überspült, ein Pferdeschädel. Wie im To-
deskampf verzerrt bleckt das Gebiß aus den gelb-
lichen Knochen, grüner Schleim verklebt die
Augenhöhlen. Die Luft liegt wie ein zerschnitte-
ner Schrei um uns, jemand muß das Tier in den
Bach gestoßen haben, zerschunden wird es nun
umhergeschwemmt. Alessandro steht zögernd
vor dem bleckenden Schädel, allein zwischen den
hochgeschossenen Gräsern, den blutigen Zypressen. Irgendwo weit weg, vermummt im Abend,

schnellt das Klappfenster des Schlachthauses auf und zu. Alessandro dreht sich hilflos nach mir um, ich spüre jäh, wie mein Gesicht ausdruckslos wird, ein unbezwingbarer Wunsch, dieses Kind jetzt allein zu lassen, beherrscht mich. Allein in dieser Bachgrube, abgelegen von jedem Orte seiner Verwöhnung, schwankend im Grauen vor dem zu Tode geschundenen Tier, ich werde mir selbst ganz kalt vor soviel Teilnahmslosigkeit. Alessandros dünnes Gesichtchen. Das flaumig braune Haar. Wie unter einem kurzen Schneewehen horcht die Grausamkeit in mir auf, von eisigen Stäben bricht es, ich denke, so ist die Mordlust. Die roten Wolken sind zerronnen. Schwarz stehen die Zypressen zusammen. Alessandro zittert ein wenig, ich trage ihn auf meinem Rücken, wir laufen durch die abgebrannten Felder zurück. Ich fühle die kleinen Arme um meinen Hals gelegt, die Bachgrube hämmert unsichtbar in uns. Jetzt sind wir bei den Maisstauden angelangt, Alessandro ist eingeschlafen auf meinem Rücken. Am linken Schuh haben sich mir die Bänder gelöst, ich kann mich nicht bükken, ich will mich nicht, Alessandro könnte erwachen, im Schatten des Schlachthauses kommen wir in den Hof

Der späte Sommer ist voller Mücken in Parugiano. Man schlüpft nachts zwischen die Mückenvorhänge aus weißer Gaze, die von der Lampe über dem Bett wie von einer Krone herabfallen, man schlüpft durch den geringst möglichen Spalt.

Aber die Mücken sind schon da. Kleines perfides Gesurre, aufdringlicher jetzt, haarscharf am Ohr vorbei. Schließlich wird entrüstet aufgestanden, man schlägt die unnütz herabfallenden Vorhänge zurück, flüchtet sich auf den Gang hinaus, unter einen kalten Wasserhahn, und beschaut sich, das von den Wimpern tropfende Wasser mit geschürzten Lippen auffangend, das rotgepunktete Gesicht im Spiegel. Da sitzt schon wieder so ein schwarzes Biestchen. Mitten im Gesicht. Ich schaue mir durch den Handspiegel im großen Spiegel zu, drehe die Spiegelfläche, unzählige Male hintereinander tauche ich darin auf. Der untere Halbkreis des Spiegelrahmens hat sich vertausendfacht, wie gerne würde ich durch die schwindelnde Glasperspektive reiten, so muß es früher im Zirkus gewesen sein, als man durch brennende Reifen sprang. Sich tausendfach gespiegelt finden, warum sollte das einen bedrükken. Das ist wie durch gläserne Spiegel reiten, heißa, je leichter man sich zublinzelt, desto leichter blinzelt es fort. Immer ist es doch nur einer, der den Spiegel hält, schwarzes Biestchen, wo bist du

Seit Virginia krank ist, sammeln sich die Fliegen im hinteren Zimmer bei der Küche, krümeln sich in der Ecke unter dem verdunkelten Fenster. Reife Feigen sind hereingefallen, auf dem Boden zerplatzt, die Fliegen kleben am grauen Schimmelhauch der Häute, dicker süßer Saft ist bläulich geronnen. Seit Virginia nicht mehr durchs

Haus geht, ist ein Hauch von Gewöhnung über den Dingen zerrissen. Wie einen Schleier hat sie ihn mit sich fortgenommen, weggezogen in ihre Kammer, in der sie allein gelassen werden will. Ich gehe durch die abgelegenen Gänge, die sich um den Innenhof herum aufstocken, ich öffne behutsam die in bemalte Tapeten eingefügten Türen, die ins Arbeitszimmer des Großvaters führen. Ich kann mich hier ausbreiten, so viel und so lang wie ich will, meine Sachen stehen auf dem Tisch, die andern Gestelle habe ich nie angerührt. Man muß sich zuerst zum Lichtschalter in der Ecke durchtappen, sich unter dem eisernen Standbild eines Kreuzritters durchducken, immer ducke ich mich ein bißchen zu wenig und der eiserne Ritter versetzt mir einen Stoß, er will anscheinend nicht, daß das Zimmer noch einmal erhellt wird, er hütet es wie eine versunkene Imagination. Schließlich hat man sich doch hinübergerettet, die Lampe leuchtet auf, ein goldbrauner Pergamentschirm, der einen alten Stich darauf mit Licht durchschimmert. Tief schattige Bäume. Ein schmales ruhiges Rinnsal, in dem sich die Pyramiden spiegeln. Das heilige Kind, das halb eingeschlafen im Schoß seiner Mutter mit einem Apfel spielt. Die Ruhe auf der Flucht. Hinter der Lampe hängen Toskaner Teller an den Wänden, in niedrigen Regalen stehen Bücher, genau gesonderte Bände über Hühneraufzucht, Bienenpflege, Trauben- und Olivenpflanzungen, dann lange Reihen von Reisebeschreibungen. Dazwischen immer wieder Jules Vernes. Pascal.

In einem Band von Voltaire ist ein zusammengelegtes Flugblatt eingeklemmt, ein fettgedruckter Aufruf des Pfarrers von Montemurlo, neunzehnhundertdreiundfünfzig, kommunistisch zu wählen ist eine Todsünde! Am Morgen zittern die Staubschichten auf den Regalen, in der großen Schüssel klirren leise die Glasfrüchte. Gläserne Melonen, Zitronen und Mimosa, ich durchquere das Zimmer und öffne das hintere Fenster zum Hof hinunter, bei jedem Schritt scherbelt es leise zwischen den wasserhell bemalten Früchten. Wortfetzen hallen herauf. Arturo führt eine Versammlung an. Er gilt zwar allgemein als schwachsinnig, aber im geheimen muß es jeder bezweifeln, niemand kommentiert die neuen Gewerkschaftsblätter so gewitzigt wie er. Niemand hat, aus aller Arbeit heraus, so rasch und unnachgiebig eine Besprechung zusammengetrommelt. Jetzt hocken die Arbeiter unten beieinander, Arturo hat listig die Mütze über die Augen geschoben, ein paar erregte Stimmen, er ruft etwas laut dazwischen, zustimmendes Gelächter bricht aus

Heute ist nicht viel los in der Langstraße. In taghell erleuchteten Büroräumen wippen Reinigungsmaschinen zwischen leeren Tischen auf und ab, kopfüber gestellte Stuhlbeine verschwinden hinter den Fenstern, manchmal lehnt eine Putzfrau über die offene Brüstung und schaut auf die an den Ecken lose zusammengerotteten Menschen hinunter. Auf den Küchenbalkonen stauen sich die Abfälle, weißliche Plastiksäcke blähen zwischen den Gittern durch, auf denen kümmerliche Schnittlauchbeetchen befestigt sind. Hin und wieder schiebt sich ein Vorhang am Eingang einer spanischen Wirtschaft auseinander, aus dem grell beleuchteten Amerikablau einer Musikbox hupen abgerissene Töne in den Verkehr hinaus. Die Geräusche trüben sich einem, verschichten sich fächerartig ineinander, dünne Hohlstreifen dazwischen, darin schwillt eine andere Langstraße an. Der summende Tumult von Schritten, Sprechchören, von hitzigem Lachen, noch fast jede Demonstration ist in die Langstraße eingeschwenkt, hier sind schließlich Arbeiterquartiere, da sucht man an Ekstase aufzuholen, was bis dahin zu trocken ausfiel, die Skeptischen wittern gleich Selbstbefriedigung, ist es wahrscheinlich auch. Aber spielen Sie nicht gleich den Erhabenen! Was ist denn schon Anrüchiges an der Selbstbefriedigung? Soll denn etwa eine Demonstration nur bloße Ideen verbreiten! Alles mit kühler Abstraktion belegen? Das wäre wohl so das Letzte. Wer möchte schon dazu einschrumpfen unter wehenden Transparenten, die alles Flugbereite anrufen. Oder nicht? Oder sind uns schon jene anderen, unscheinbareren Demonstrationen entgangen, die unter der flaumig grauen Decke jeden Tages aufzittern, sie lüften für einen kurzen Augenblick? Sind wir nie, mit erschrockenen Sinnen, im wie ein Blitz vorüberhuschenden Luftzug eines ungeplanten Protests gestanden? In diesen fast unauffälligen Momenten eines Sichwidersetzens, des plötzlichen Durchschimmerns einer zähen Verneinung. Die einen anrühren, aushorchen, daß man meint, man hätte vorher nicht gelebt. Die das Entlegenste in einem bewegen. Sind wir stumpf geworden für diese geringsten Manifestationen zwischen den Tagen? Die bereits in ihrer Unscheinbarkeit darauf angelegt sind, uns ganz herauszufordern. (Haben wir sie vielleicht immer übersehen?) Bleibt nur noch der Rest der künstlichen Großdemonstration. Ein ausgelaugter Ersatz? Die Langstraße! Stimmen schwirren lassen, laufen wie unter einem durchsichtigen Mantel von Stimmen, von Entlegenstem, laufen im Zusammenzittern der Fäden unter einem Gedanken. Unter phantastischer Strenge. Die Schritte summen, Parolen schneiden wie fliegendes Glas durch die Luft, irgendwo dahinter liegt Virginia. Liegt hinter dem verlassenen Bügelzimmer, hinter den Zimmern wo die Trauben für den Vin Santo trocknen, hinter den Gestellen wo auf baumelnden Fettballen sich die Schweißtröpfchen sammeln. Sie hat sagen lassen, man solle doch einen Arzt in Prato benachrichtigen. Die Arbeiter hocken unten im Hof, Arturo witzelt über die neuesten Beschlüsse, die Glasfrüchte klirren, es ist kein Arzt zu erreichen. Virginia wehrt nicht einmal mehr unseren Besuch ab. Sie liegt schräg in den Kissen, mit feuchtem Haar, das Gesicht in starrer Trostlosigkeit auf die gegenüberliegende Wand gerichtet. Wir haben aufgehört, zum Telefon hinunterzulaufen, die Nummern einzustellen, das Klingelzeichen abzuwarten, niemand gibt uns Antwort. In Prato dauert der Ärztestreik. Wir müssen es Virginia sagen, sie schaut uns erst verständnislos an. Dann schweigt sie. Später hat sie sich ein bißchen aufgerichtet, halb in sich gekehrt die Decke zurückgeschoben

Eines Nachmittags, der Hof liegt schon im Schatten, aber der auf den Steinplatten zum Trocknen ausgebreitete Mais glänzt immer noch zwischen den rot gedämpften Mauern, steht Virginia wieder in der Küche. Bald muß ich abreisen, denke ich, ich hätte gerne eine Fotografie von ihr mitgenommen, wie mache ich das? Ich sitze mit dem Apparat in der Küche herum. Erfinde Gesprächsstoff. Ich getraue mich nicht. Man sollte ganz schnell fotografieren können, um nicht zu spüren, wie man mit jedem Bild die feinen Kreise von Zugehörigkeit sprengt. Als ein Fremder aus der Szene wandert. Manchmal stehe ich an einer Straßenbiegung, die Rinnsale am Straßenrand krümmen sich im Morgen fort, eine Servierin streicht die verschlafenen Vorhänge auseinander, ich kann nicht auf den Auslöser drücken, die Trottoirs sind leer. Scheu gehe ich ihnen hinter der Biegung entlang. Die Häuser haben abwehrende Hände ausgebreitet, undurchdringliche Fächer vorgeschoben. Ich denke längst nicht mehr daran, sie zu knipsen, ich nicke ihnen zu. Oder ganz lang müßte man fotografieren, mit einer jede Zeit vergessenden Umständlichkeit. Das gegenseitige Fremdwerden zur großen Szenerie aufbauen. Schließlich frage ich Virginia rundheraus, ob sie mir hinstehen will. Sie lacht, streicht sich die Schürze glatt, mit herbem Stolz stützt sie sich am Herd auf. Ihr Gesicht wird hart, versinkt in ihr, da sie mir mit skeptischer Trauer entgegenschaut. Auf dem Herd schäumt es von gebranntem Zucker, von geriebenem Zimt, ich habe ein Traubenbrot gebacken für die Reise, sagt sie. Blaurot netzen die Trauben durch den Teig, Virginia sitzt fast nicht mehr sichtbar in der erloschenen Küche. Ich möchte ihr danken, es erreicht sie nicht. Ich könnte die schwergebauten Schränke verrücken, die abgenutzten Pfannen über die Decke wandern lassen, den durchs hintere Zimmer wachsenden Feigenbaum versetzen. Nur Virginia erreiche ich nicht. Virginia ist aus der erloschenen Küche fortgegangen, ausgewandert in die Ahnenbilder, schon lange gealtert zwischen aufgebrochenen Wassermelonen, ein unablässiger Stachel

Hatten wir einander nicht hier im Gewimmel plötzlich entdeckt, mitten auf dem Helvetiaplatz? Oder war es ein anderer Platz gewesen, oder hatte er sich mir nachts zwischen hellen Wolken aufgeschlagen, er kam auf mich zu, Te mit dem wirren zausen Haar, schritt er denn immer so aus, immer flogen ihm die Mantelenden, lange schlotternde Mantelenden aus dem Brockenhaus. Sein Gesicht war ganz entstellt unter dem schwarzen Beret, ganz von roten Tupfen übersät, was hast du für ein grell gepünkeltes Gesicht! Und so geometrisch verteilt. Als hätte dir jemand ein fieberndes Tapetenmuster übergezogen. Te kam auf mich zu, durch den von Menschen starrenden Platz, wir schoben ganze Massen von Leuten mit tief in den Nacken gezogenen Hüten beiseite, drängten spitz in Jakkenärmeln vorgehaltene Ellbogen zurück, endlich waren wir zueinander gelangt. Te hatte wieder jene dunkle wilde Art, wie immer nur, wenn schwarze Kutschen mir den Schlaf durcheilten, wir rissen uns aneinander in einem seligen Wahn, ließen nicht mehr voneinander los. Erst als ich auf einmal fühlte, daß wir auf den Platz gesunken waren, schaute ich auf. Es war niemand mehr da. Wir waren vor einer endlos blaßorangen Mauer hingesunken. Eine Stadtmauer, unzugänglich, in orientalischer Verlassenheit, wie eine Paradiesesmauer, dachte ich wieder. Te hatte sich mit von mir abgewendetem Gesicht vornüber- geneigt, seine Mantelenden hatten sich unabseh- bar verlängert, flossen von ihm weg um die Krümmung der Mauer herum. Ich blickte be- klommen an mir herunter, auch mein Kleid schlang sich schwarz in endlose Fernen gezogen um die andere Seite der orangen Mauer. Ich konnte mich kaum erheben, ich mußte die Augen schließen vor übermächtiger Anstrengung, da verlor ich Te aus dem Blick. Ich suchte ihn, schwer trug ich an meinem Kleid, mir war als müßte ich gehen mit von einem unsäglichen Ge- wicht nach hinten gezogenen Schultern, mit an- gehaltenem Atem. Plötzlich standen die Massen wieder herum, Te tauchte in einer fensterartigen Öffnung der blaßorangen Mauer auf, redete wie aus einer gotischen Nische heraus, redete aufrüh- rerisch in die Menge, seine Sätze stachen wie das schwarze Beret vom Orange der Paradiesesmauer herunter. Die Leute zuckten mit den Armen hoch, blecherne Pamphlete schepperten tumult- artig gegeneinander. Te verschwand hinter den Fensteröffnungen. Ich irrte unter der Menge umher, ich wußte, er würde doch wieder nicht gemeinsame Sache mit ihr machen. Da berührten mich Finger an den Achseln, ich drehte mich zu- rück, bekannte Gesichter standen um mich, wie- sen mir halb fragend, ob ich ihn gehen wolle, einen Weg, die Gesichter standen weiß in der Helle. Eigensinnig schob ich mich hindurch, ich hörte nicht auf sie, ich trat in die orange Mauer ein, hier erst wandte ich mich erschrocken zurück, um nochmals hinter der Öffnung ihre Augen zu suchen, denn unter den Nischen hindurch ging gar kein Weg. Aber wo noch vorhin die Gesichter standen war es leer

Ob wir am Ende morgen hier stehen werden, herumstehen in langsamer Auflösung? Der Helvetiaplatz ist langmütig. Noch die höchsten Brandungen verebben schließlich hier, Plätze bei uns versinken wie unter einem übergestülpten Haus. Nur das Dach ist abgehoben, aufklappbar mindestens von Zeit zu Zeit, da zieht manchmal fremder Wind darüber hinweg, und manchmal noch, wie zuhause, beugen sich die Berge hinein, schemenhaft mit ihren breit verdämmernden Rücken, schattenwerfend im Abend, wie eine Legende. Melde sich doch, wer diesen Unsinnssinn von einem Schweizerhaus erfand! Kein anderes Land ist auf ein solches Bild verfallen. Immer noch ist unten eine kleine Schraube befestigt, man zieht sie auf, und aus dem Haus klingen wie von Stecknadeln gezupft vergessene Töne. Ein paar unter dem Getriebe versteckte Federchen sind gesprungen, ein paar sind eingerostet vor unmerklicher Zeit, man merkt das noch kaum, die Walzen zupfen nur etwas langsamer die Töne hinter den rotglasierten Geranien hervor, einmal stehen sie still

Bin ich nicht auch lang in einem solchen Haus

gewesen. Ich meine das Haus, in dem ich gearbeitet habe. Ein altes geräumiges Haus. Weder eine Beton- noch eine Eisen- oder Kunststoffkonstruktion. Und keine Fabrik und kein Gefängnis und kein Warenhaus. Bedaure. Ich gerate nie in bedeutende Lagen. Irgend etwas in mir verbietet sie geradezu, läßt mich unter ihnen durchschlüpfen wie unter einem Heer knallfarbiger Ballone, einem stehenden aufgeblasenen Heer, ganz schmal muß ich mich machen so im Hindurchschlüpfen, ganz nur noch Aug und Ohr segle ich durch die Zwischenlagen. Wie einem das weiche Grau hier die Pupillen weitet. Hinter den Gegenständen falten sich die Schatten auseinander, ein hellgrüner Streifen vor dir rauscht schon wie ein Abhang voller Birken im Frühling. Grau war auch die Luft in dem Haus, besonders am Morgen, sie füllte die Gänge, das Treppenhaus, man mußte durch sie hochwaten wie durch schwimmende Daunendecken, man hätte sich quer in die Luft legen mögen, um die vom Wecker auseinandergeschrillten Träume wieder zu finden. Aber unten am Eingang drückte schon jemand die Türklinke nieder, wer hätte eines anderen Anblick ertragen. Die Angestellten tröpfeln herein, klappern mit den Schirmen aufwärts, künstlich gut aufgelegte Begrüßungen schellen durch die grauweiche Luft, letzte bösartig wandelnde Wekker, die einen noch bis in den Tag hinein verfolgen. Die ticken einen aus dem Treppenhaus fort, man säße so gern dort ans dunkle Geländer gelehnt, hellwach, ins schweigsame Holz hineinverwachsen. Jedes den Tag heraufkommende Geräusch zittert verwundert in einem nach als hörte man es zum ersten Mal, Farben wellen in den Augen hoch als stürzte eine lautlose Verheißung durch die Stadt. Ich gehe auf meinen Tisch zu. Bunte Ordner stehen wie eine verschämte Maskerade darauf herum, bitte nicht das große Licht anzünden! rufe ich, als stünde mir das Messer am Hals. Dann drehe ich die kleine Lampe an. Ihr Schein reicht kaum aus, um die Schreibmaschine zu beleuchten, aber es sitzt sich gut und geschützt darin, aus meiner kleinen Lichthöhle schaue ich dem Tag entgegen, starte langsam immer größere Eroberungszüge, dehne sie aus auf das ganze Pult. Die kniffligsten Briefe werden jetzt herangeraschelt. Die kniffligsten zuerst! Wer macht mir das nach? Aber kann denn einem schon etwas passieren. Wie ein Perlmutterknopf sitzt man da, von der Ungläubigkeit eines neuen Tages umhüllt. Ganz lose nur ist man an allen Dingen befestigt, man spürt, ein winziger Ruck, und man stünde vor dem Tisch des Direktors, sagte: Was für ein schöner Tag ist heute. Ich ginge gerne für immer. Adieu! Aber ich bleibe noch ein bißchen, es riecht auch so gut nach Kaffee jetzt, ich kann es wagen, meine Lichthöhle zu verlassen. Ich möchte die andern mit ihren Tassen herumbalancieren sehen, das Kaffeewasser schwappt über die Ränder auf die bereitgelegten Zuckerstückchen, ich vergehe plötzlich vor Plauderlust. Die ist mir auch schon voraus, öffnet mir linkisch schelmisch die Tür, sie hat sich einen feinen Mantel umgelegt, sieht aus wie eine fabelhafte Mischung von Unauffälligem und Kühnheit

Ce lehnt schon an der Kaffeemaschine, die Schultern ein bißchen fröstelnd zusammengezogen, die dampfende Tasse dicht vor dem Gesicht, als möchte sie sich hinter dem warmen Kaffeeduft nochmals schlafen legen. Von Zeit zu Zeit schiebt sie einsilbig das Kinn über den Tassenrand vor, um den Zigarettenrauch durch die Nase wegzublasen, heute bin ich ganz schlecht aufgelegt, knurrt sie mir drohend entgegen. Sie blinzelt matt. Klopft sich zerstreut die Asche von den schwarzen Jeans. Schwarzer Pullover, schwarze Jeans. Ce träumt manchmal davon, sie hätte gekündigt und ist danach noch die längste Zeit halb erfreut, halb erschrocken darüber. Dabei getraute ich mich überhaupt nicht, so laut aufzumucksen, sagt sie, ich bin heilfroh, wenn ich mich hier durchmausern kann. Schrecklich, eine neue Stelle suchen! Sich wieder neue Unempfindlichkeiten zulegen, sich von neuem einen Ruheplatz erkämpfen, wo man unbeschadet im Arbeitsstrom mitschwimmen kann. Zu riskieren, daß man mit einem neuen entsetzlichen Gegenüber in dasselbe Zimmer gesperrt wird. Sich von neuem mit den nervenzerreißendsten Eigenheiten abfinden. Ce gruselt es. Eine neue Wohnung auftreiben! Zum Umziehen habe ich schon gar keine Energie. Kannst denken, nein du, sie schnippt abwehrend mit den Fingern, ich wurstle mich hier durch. Sie geht zur Türe hinaus, mit der halb angetrunkenen Kaffeetasse, sie schaut nochmals über die Achsel zu mir zurück, mit neckisch geschürzten Lippen. Verschwindet. Vergräbt sich im unteren Stock. Unter Verzeichnissen, Listen, Statistiken, mit Mausaugen schaut sie darunter hervor, hinter einem Schleier von Rauch und Qualm, das Essen hat sie sich abgewöhnt, eine letzte Schikane, die sie sich antut. Sie ist so schmal geworden, man möchte sie manchmal anfassen und wachrütteln, sie wird noch eintrocknen, eingehen zwischen ihren Papieren. Wird sie das. Wenn sie so hinausgeht, mit geschürzten Lippen, traut man ihr plötzlich alles wieder zu, wie einem Banditen auf dem Krummpfad

Schließlich stehle auch ich mich manchmal davon, will auf einmal nicht mehr allem die Stirn bieten, will ungesehen sein, untertauchen. Für ein paar kurze selig ertrunkene Minuten. Schön wärs im Treppenhaus jetzt, die Sonne müßte hinter dem Kunsthausplatz bereits hochgeklommen sein und in das lange Treppenhausfenster fallen, so ein mattscheibiges, blattumranktes Jahrhundertwendefenster, die Blattgirlanden flammen in einem durchscheinenden Ockergold, könnte man sich in das stille Licht hineinverglasen. Wie auf mittelalterlichen Bildern unten in der Ecke des Fensters als kleine Stifterfigur erstarren. Aber das Treppenhaus ist viel zu belebt um die Zeit. Kaffeereste zirkulieren von einem Stockwerk zum andern, die Post wird in die verschiedenen

Abteilungen befördert, stirnrunzelnd zurückgewiesen und nun überall ausgerufen. Da ist keine Zuflucht. Vielleicht läge das Sitzungszimmer verlassen. Der blauweiße, behäbig bauchende Kachelofen! Er ist von einem zinnenartigen Aufsatz gekrönt, ein paar besonders fein gerundete Ecken sind vom Alter abgebröckelt, abgebröckelt ist aus ihnen das Lächeln der blauglasierten Engelsköpfe, mit blinden versonnenen Augen wachen sie über den gekachelten Bildern. Wanderer eilen zu fernen Jagdschlößchen, knien an springende Wasser zwischen dem Gras, zücken die Schwerter gegen wilde Tiere. Aber es beugen sich schon Leute über den Tisch im Sitzungszimmer, verteilen schwindelnde Stöße von gedruckten Berichten, die nie jemand lesen wird. Hier also nicht. Bleibt das alte Bad, wir haben eine altmodische Toilette, von einem Ausmaß, man fühlt sich wie in einem Saal, schnell die Türfalle abgesichert. Entronnen! Fast still ist es da, der Wasserhahn tröpfelt vergessen vor sich hin, ich lehne mich ins große Fenster, drüben an der Straße zu den Unteren Zäunen tauchen die blaßvioletten und tuffgelben Fassaden schon aus dem Schatten heraus, am vordersten Haus glitzern die Loggien. Nirgends in der ganzen Stadt fällt einen so das Fernweh an wie hier an dieses alte Badfenster gelehnt. Setzt man sich aufs Gesims und streckt den Kopf hinaus, könnte man den unten vorübergehenden Leuten sachte zwischen den Halskragen spucken, weit hinten funkelt das Wirtshausschild zum Grünen Glas, als hätte es ein glühendes Messer verschluckt. Jemand der Angestellten hat kaltes Wasser in die Badewanne laufen lassen. Ein loser Strauß Rosen schwimmt darin. Kühl unter dem Wasser, die innersten Blätter schließen sich zusammen, fast unbeweglich liegen sie jetzt in der Wanne, wir liegen alle in der Wanne, kühl kühl unter dem Wasser, man will uns kein Leid antun, es geht uns gut, man hat uns nur ein bißchen unterkühlt, die hochfahrenden Pläne aus den Herzblättern genommen, man läßt uns so hinschwimmen, wir sollen uns frisch halten bis zum Abend, da können wir uns hinausschälen in die Zerstreuung, die Herzblätter aufschließen für kurze Zeit, wir platzen wie Knallblumen in der Nacht

Manchmal steigen Fremde, Ausländer durchs Treppenhaus hinauf, setzen sich bei uns in die Zimmer. Sie machen eine Kulturreise durch die Schweiz, sie wollen wissen, wiewowas. Die Engländer sagen: Switzerland is so clean. Soou cliiiiiin. (Ich bekomme auf der Stelle einen Brechreiz!) Sie finden sogar die Emmentaler Kuhfladen bezaubernd. Einfach zum Mitnehmen bezaubernd. Einmal, Novemberschwärze kroch schon durch die Fenster, in den Gängen bei uns blinkten die Lichter auf, nasse Zweige klatschten vom Obergericht herüber, kam eine alte deutsche Jüdin ins Haus. Wenn sie einen anschaute, tat sie es unverwandt, unausweichlich. Zum ersten Mal bemerkte ich verwirrt, daß ich einem Blick nicht standhielt, grundlos beschämt wich ich für Se-

kundenschnelle aus, obwohl sie jetzt sprach, langsam, als müßte sie sich mühsam an etwas fast Un-
glaubwürdiges erinnern, wir waren, sagte sie,
während der Berliner Blockade in der Schweiz.
Sie kam uns vor wie eine Spielzeugschachtel

Kann sein, daß wir abreisende Besucher bis an die
Bahn begleiten, mit Anstrengung durch das da-
vorliegende unterirdische Einkaufszentrum
schleusen. Alles bleibt hier wie magnetisiert an
den Schaufenstern kleben, schwirrt noch halb
verstört von langen Eisenbahnfahrten, mit Koffern überladen, geradeaus in Geschäfte hinein
und wieder hinaus, vom letzten Trittbrett des
Zuges an schon hineingesogen in die flimmernde
Konsumwelle. Wie ein gefräßiger Schlund tut
sich die Shop-Ville auf, man merkt es nur nicht
gleich, so infam elegant zieht sie einen auf den
Rolltreppen hinab. Angenehm narkotisiert
schlendert man durch die taghell erleuchteten
Auslagen, schau den ledernen Beutel da, den wird
man sicher noch gut gebrauchen können, und die
Kordelseifen hier und die windabstoßende Jacke
dort undundund, wie praktisch das ist in der
Schweiz, man hat gleich alles zur Hand. Auf den
Mond schießen sollte man die Shop-Ville! Ich bin
immer versucht, am Eingang der unterirdischen
Passage angelangt, mit Taschentüchern, weißen
Riesentaschentüchern, den Besuchern die Augen
zu verbinden, zu sagen: Bitte überlassen Sie sich
nun getrost meiner Führung. Das glanzvoll kläg-
liche Schlußbild unserer Stadt soll Ihnen erspart

bleiben. Sie sehen wirklich kein Lichtpünktchen mehr, meine Verehrtesten? Sehr gut. Ich stelle Ihnen nun unsere unterirdische Bahnhofpassage vor. Ein beredtes Zeugnis unserer Gesinnung! Eine große gewölbte Halle mit sich fortverzweigenden Gangnischen, in der Mitte schwimmt auf Wasser, das im Hallengewölbe wie auf elektronischen Fernschallsendern verhundertfacht fortplätschert, ausplätschert, schwimmt also auf Wasser, wie eine Insel, ein weiter runder Ruheplatz, von dichtem moosigem Gras überwachsen und mit Bäumchen bestanden, flatternd von hellem Laub. Hier werfen sich die Reisemüden mit ihren Koffern ins Gras, strecken alle Arme und Beine von sich. Viele sind eingeschlafen unter den herabschattenden Bäumchen, andere betrachten versunken das Hallengewölbe über sich, das an warmen Tagen wie eine Drehscheibe in Bewegung gesetzt werden kann, so daß der bloße Himmel vorüberzieht, in eisigklaren Winternächten wird eine besonders bearbeitete Glaskuppel übergezogen, die auch von den geringsten Eistrübungen unbehelligt bis fern zu den silbern klirrenden Sternbahnen blicken läßt. An den Hallenrändern sind, wie früher in den alten Bahnhöfen, einzelne überlebensgroße Bilder hingemalt, verführerisch abwehrende Ausblicke in unsere Landschaften. Gottverlassene Schluchten, Hochtälerseen von unheimlichem Blau, trüb verdämmernde Juradörfer. Hin und wieder bricht unbändiges Lachen von Sichbegrüßenden auf. Man ist von den Bänken aufgesprungen, Kofferschlösser schnappen, mitgebrachte Geschenke liegen zerstreut auf dem Boden. Von den Gangnischen klingen gedämpfte Gespräche herüber. Dort sitzt man unter gestreiften Lichtschirmen, frisches Obst glänzt in grünen Tüten, Käse brutzelt goldgelb auf den Tellern. Um die Schläfer unter den Bäumchen streicht Duft von Kaffee, so daß sie augenreibend erwachen, leider, meine Verehrtesten, haben wir nun die Halle bereits hinter uns, die Wagentüren Ihres Zuges springen schon auf, darf ich Ihnen die Taschentücher abnehmen, aber schauen Sie sich ja nicht um! Wer zurückschaut, erstarrt zur Salzsäule

Die Besucher winken aus den verschwindenden Zügen, wir bleiben zurück, die Züge strahlen über die Pässe in alle Richtungen davon. Hierzubleiben. Wie ist das so. Ich lehne am Abend an der Wand vor dem kleinen Küchentisch, ich habe eine Unmenge von Broten auf einen Teller gebeigt, einen schwankenden Butterbrotberg, ein ungutes Zeichen, mechanisch trage ich den Berg ab, ein mieses fiese Gefühl, höre mir zu, wie die Zähne kauen, die kauen von selbst, die kauen schon lang ohne mich, kauen sich im Takt durch den bebutterten Berg, jetzt warte ich nur noch bis die Übelkeit steigt, ich lauere auf sie mit geschlossenen Augen. Mir sinkt der Kopf auf den Arm, da sehe ich es, wie es ist. Hierzuleben. Ich fahre hinter geschlossenen Augen, fahre durch nachtschwarze Gegenden, hinter den Schienen ist keine einzige beleuchtete Straße, kein Strauch, kein Gebüsch, nicht die geringste Bodenkuppe, endloses Flachland, hinter den Horizont gesunken, da taucht wie ein Spuk ein lichtloses Haus auf, mit schwarzen erloschenen Fensterzeilen, ich fahre, ein dunkler Umriß verschwindet es wieder in der Nacht. Ich schlüpfe in den Mantel. Die Mütze übers Haar gestülpt. Vors Haus! Über die panische Vorstellung lachen, die ganze Stadt könnte erloschen sein. Quer über den Fraumünsterplatz laufen, wie ein Ertrinkender nach dem Licht schwimmen. Die beleuchteten Türme knistern im Wasser. Im Niederdorf verlaufen sich die Leute in Scharen in die Seitengassen, stehen unter Hauseingängen beisammen und mustern die Nachtschwärmer. Aus aufgerissenen Türen höhnen Musikboxen in ruckenden Stößen, Leute hangen hinter angelaufenen Scheiben über den Tisch, lassen die Fäuste zwischen die Gläser fahren. Schlaftrunken zischen Scheinwerfer über den Dächern aus. Jemand kreischt hell und sich verschluckend vor Lachen zwischen zwei Fenstern. Ich gehe von der Rosenapotheke bis zum Weißen Wind und von dort bis zum Stadelhofenbahnhof, die kleinen Wartsäle sind bereits geleert, hinter der Eingangstüre brennt noch Licht. Der rotgestrichene alte Kino-Automat steht unverrückt an seinem Platz! Große Wiedersehensfreude beiderseits. Das weiße Wechselschildchen rückt in Position: Heute sehen Sie folgenden Film »Charlie im Glaspalast«. 20 Cts. Dieser Kino-Automat zeigt Ihnen: Fremde Schicksale. Ferne Länder. Menschen und Tiere.

Die mit sprühender Lebendigkeit an Ihrem Auge vorüberziehen. Einwurf 20 Cts. Dann gehe ich zurück zum Weißen Wind, begleite mich noch ein Stückchen nach vorn und wieder zurück und immer so fort, die Häuser lehnen so schief friedlich ins Licht. Zwitterzustand. Zwischenzeitland. Langsam stillgelegt zwischen den Ereignissen, die über der Höhlung der Nacht zusammenschlagen. Den Kopf nach hinten biegen, und man hörte schon ihr Pochen über sich, Frieden wöge wie eine zitternde Glasfrucht in der Hand. Errötend klaubten wir die vergifteten Kerne daraus fort, unterschlügen Nachrichten wie: Vorwärts mit dem neuen Helm! Der Schweizer Soldat wird ab neunzehnhundertfünfundsiebzig einen neuen Helm erhalten, der mit den besten ausländischen Helmen Schritt hält. Seine Vorzüge! Bessere Zugänglichkeit zu optischen Geräten, besserer Prellraum, optimale Beschußfähigkeit, er wird in zwei Ausführungen und zwei Größen zu haben sein

Zeit noch für eine Spätrundfahrt. Mit der Straßenbahn über die Flußbrücken, um die Außenplätze schlenkern. In den letzten Nachtstunden haben Straßenbahnen nicht mehr das Erpressende, Erdrückende wie in der Frühe. Nicht mehr das uneinsichtig Verschworene ineinanderhängender Menschentrauben. Nicht mehr das unbarmherzig Hinausstoßende. Die Wagen sind leer geworden, von den hintersten Plätzen aus schaue ich geschützt durch die sich um die Kurven verengenden und wieder ausweitenden Gänge. Die Wagen schaukeln, fernab streifen wir grell summende Drähte. Niemand steigt mehr aus, niemand steigt mehr ein. Nur wir, die Übriggebliebenen, sind noch da, lichtgeschaukelt in der Nacht. Schwarz winkelt der See in die Straße ein. Alles aussteigen, bitte alles aussteigen, jetzt werden wir doch noch verstoßen. Fröstelnd stehe ich am See. Immer noch fahren Kolonnen von Autos zum Bellevue hinüber, zerschneiden mit ihren Lichtern das Seeufer in metallische Flächen. Schwäne schlafen auf den Stufen, erstarrt im Schein des vorüberblitzenden Verkehrs. Manchmal windet sich fahl ein Schlangenhals hoch, schmutzig grau, verkriecht sich wieder ins Gefieder, überschimmelt von den Abgasen, die rußig von der Straße hinabflocken. Hinter den Schwänen wellt das Wasser lau, eine Pfütze zwischen sich vordrängenden Häusern, die Häuser gieren in den See hinein, soweit die lichtversengten Ufer reichen. Er ist ganz matt davon geworden

Wenn der Schnee fiele in der Nacht. Still über den See. Den Helvetiaplatz vermummte, uns den Mund zuschneite. Wie Monumente würden wir weiß versinken. Ich sähe Te nicht mehr. Wäre er überhaupt dort. Meist dort, wo man es nicht denkt. Immer Schneegestöber zwischen uns, feines rieselndes Schneegestöber, Gedanken, spitzflockig. Aber wer liebte nicht Schnee! Im kleinen Bahnhof stehen, schneedurchweht, die Züge nach den oberen Seedörfern rollen ab. Te hat einmal in einem gewohnt, jetzt schon lang nicht mehr. Es ist früh, aber schon hell, knirschend hell von Schnee, so früh wie möglich, haben wir festgesetzt. Eine Arbeit ins Reine tippen. Wenig Frühaufsteher sind am Bahnhof, glasklar ernüchtert sitze ich hinter den Scheiben, fahre dem Dorf zu. Hinter dem Stationshaus schlage ich einen Seitenweg ein, ich müßte das Haus kennen, ich bin doch schon dagewesen. Die schneebuckligen Gärten haben alles verhext. Die Nummernschilder sind zugefroren. Die schmalen Treppen zwischen den Zaunbüschen verschwunden. Ein Geländer, erinnere ich mich, ein Geländer müßte außen ums Haus herum zum Zimmer unter dem Dach führen. Ich stapfe durch die Schneegärten, streiche dem weitüberhangenden Gebüsch entlang. Niemand hat mir nahe gelegt, behutsam aufzutreten, aber je länger ich suche, desto unauffälliger schlüpfe ich zwischen den Grenzmäuerchen hindurch, erschrecke, wenn mir von hochschnellenden Zweigen Schnee über die Schulter stiebt. Wo ist denn das Geländer, ich bin in eine Verschwörung geraten, trotz der winterscharfen Luft, die Gärten haben untereinander die Häuser vertauscht. Da lichtet sich das Gerriesel zwischen den Büschen. Ruhig, schneefrei läuft das Geländer ums Haus. Als wäre es immer hier gewesen. Ganz nah zu finden. Unter meinen Stiefeln brechen glucksend kleine Eistümpel auf. Der Eingang zur Dachzimmerwohnung ist offen. Ich stehe im Gang. Nichts rührt sich. Nur draußen, in der Dachrinne, ist scherbelnd ein dünner Eiszapfen gesprungen. Soll ich an die Tür klopfen. Kein Laut. Ich rufe etwas grundlos beklommen, es tönt ein wenig brüchig, wie ein Käuzchen. Schnee schmilzt mir auf den Haaren, tropft mir übers Gesicht. Was macht denn Te! Ich könnte seine Tür, eine dunkel gebeizte Holztüre öffnen. Einfach die Klinke niederdrücken. Und hineinschauen. Ich wage mich nicht zu rühren. Wie still es ist. In der Tür flackern die Verästelungen unhörbar auseinander, flammen dunkel vor mir, ich käme nie mehr hindurch. Was macht Te, ich weiß, er schläft in der abgeschrägten Nische, mit dem schwarzen zausen Haar zur Wand. Hängt er mit blicklosen Augen aus den Decken, mit wildem Zorn hat er die Hand unter dem Tisch nach mir vorgeschoben, sein Kopf ist verkohlt, neben der Lampe sinkt er zusammen, erlischt wie Asche. Schwarze Jalousien fallen langsam vom äußersten Dachrand bis zur Erde hinunter. Hinunter, versinken. Grün kreiseln die Tage herauf. Ich saß in Saint James's Park, schon fast allein unter dem rotweiß gestreiften Zelt des ebenerdigen Teehauses, Nebel flog durch die Pappeln, grün und weich floß das Wasser um die Rasenenden. Leise drehte sich das Zelt, die Schnitte Nußkuchen vor mir, gefrorene Karussellmusik glockte aus der Luft, wie Vogelzwitschern huschte es durch mich fort. Als ich dich und mich erfand. Grün flammt die Stille in Saint James's Park, ich kann die Türe nicht öffnen, Te. Ich habe selbst die dünnwandigen, unsichtbaren Türen geschlossen, die wie spanische Glaswände durch unsere Sätze reiten. Aber wer sähe nicht hindurch! Wir sind keine Ritter von der blauen Furcht, beruhigt lehnen wir zwischen den Türen. Manchmal, nur noch ganz selten, führe ich meine imaginären Gespräche: du wirst doch nicht die Arme nach mir strecken, nein, tust du nicht, meine Augen haben sich strahlend kühl in die Wand vergipst. Wer weiß, ob wir nicht, schwindelnd vorwärts bewegt auf vorgeknüpften Fäden, in die Maschinerie hinabstürzen würden, die auf uns lauert. Die Gefühlsmaschinerie. Wo alles so schreckhaft voraussehbar wird. Sage ich. Würde ich sagen. (Dagegen die Zufälligkeiten! Die schelmischen Übergriffe, plötzlich, ohne Grund, die einen anfassen und loslassen wie vom Regen springendes Birkenlaub. Die zusammenhanglose Zartheit.) Aber ich habe mich ganz vergeblich in die weiße Gipswand hineinverzaubert. Du hast immer noch die versonnenen Augen, du sähest es gar nicht, immer noch den weitausholenden Schritt, als liefest du ganze Erdteile von Selbstreflexionen neben mir ab. Laß mich noch einmal das kleine Hochgefühl zurückstehlen, so als säßen wir wieder am Tisch hinter den dampfenden Muscheln. Auf einmal fällt uns ein, es fährt keine Straßenbahn mehr um die Zeit! und für einen Moment, wie eine blendende Lichtflüssigkeit steht er im Raum, schaust du mich rückhaltlos an, obwohl wir beide wissen, gleich werde ich sagen: ich gehe jetzt. Aber diesmal weißt du es nicht mehr als ich. Ich streife mir ganz leicht den Mantel über, wie der Stolz mich wärmt, es läge auch ein bißchen an mir. Auch ich hätte zu entscheiden, wie es mit uns sein könnte, wüßte, daß wir die dunklen Spielfiguren in uns nicht überstürzen dürfen. Wie ich mutig geworden wäre! Wie ich aus dem Haus gelaufen wäre in hellem Lachen. Daß du mir soviel zutraust. Aber du hast schon alles selbst zu Ende gedacht, durchgedacht, fortgedacht, schaust mich nachdenklich ironisch aus dieser krausen Entschlossenheit von der Seite her an. Und ich ziehe ebenso aus im Wind, der uns um die Beine flattert, schier unbeeindruckt die Augenbrauen ein wenig hochgezogen, ganz keck nimmt sich das aus, dabei habe ich nichts mehr in den Händen

Schnee rinnt mir in den schreckensoffenen Mund. Die flackernden Verästelungen fliehen in die Tür zurück. Die Luft im Gang zittert von übriggebliebenen Gedankenschichten, wie Papptürme schwanken sie gegeneinander, beim scheuesten Wort könnten sie hervorbrechen, eine riesige Konstruktion, unaufhaltsam, vernichtend. Überstürzt laufe ich aufs Geländer hinaus. Schneeklar liegen die Dächer, ruht am Rand der eisblauen Welt der See. Nichts regt sich. Einmal wirbelt es leicht und weiß von der oberen Böschung, jemand kommt schnell durch die wie zu Spalieren hochgeschossenen Sträucher gegangen, das schwarze Beret wippt unter dem von den Zweigen fallenden Geriesel. Te lacht erstaunt, schwenkt die frischgekaufte Milch, du bist schon da? Mir hat noch was zum Morgenessen gefehlt.

Er klopft den Schnee vom Mantel, wirft ihn im Zimmer über den Stuhl, kalt ist es hier, nicht? Was für kaltgefrorene Finger du hast. Kannst du so tippen? Er grübelt eine kleine, bauchige Flasche mit Schnaps zwischen den am Boden aufgehäuften Büchern hervor, die hat mir die Mutter noch im Herbst in den Koffer gesteckt. Wie altes listiges Kriegsvolk wärmen wir die starren Finger damit. Nach einer Stunde Arbeit sitzen wir beim Morgenessen. Hart bröselnder, weißer Käse aus der Provence. Harte schwarze Rinde. Das Fenster blitzt im schräg von weit über den See her einfallenden Licht. Auf einer schmalen Wandleiste steht eine Fotografie von Te, wie er in einer grünen Wiese auf dem Kopf läuft, einfach auf den Händen, pfeilgerade streben die Beine in die Luft, das weiße, offene Hemd bauscht sich in dem am Boden hinstreichenden Wind, da läuft er, verkehrt zwischen den spitz stehenden Gräsern, munter, mit spöttischer Gelassenheit, ach wer sich auf den Kopf sehen könnte

Es ist aber kein Schnee gefallen. Der Helvetiaplatz liegt nackt an der Oberfläche. Schutzlos gliedern sich die Fassaden auseinander, man will es nur nicht wahrhaben von außen, da grauen sie ein zu dumpfer Masse. Manche meinen sogar immer noch, mit Händen darauf hinweisen zu können, die schöne Täferung unseres Schweizerhauses. Es verhält sich ein bißchen damit wie mit dem Märchen von des Kaisers neuen Kleidern. Wie schmuck es ist! rufen die Leute und recken die Hälse vor Begeisterung, obwohl sie gar nichts sehen und die vordersten reiben sich heimlich die Augen, weil sie längst gemerkt haben, daß kein Zehntelchen von der beklatschten Pracht vorhanden ist. Aber oft schwanken sogar die Scharfsichtigsten darin, es liefe sich so still durch ein Haus wie dieses, ungestört, eine verlockende Versenkung! Oft verlöre sich zwar die Zeit außer Hörweite, lauschend hielte man in den Gängen den Schritt an. Im alten Badezimmer schwimmen reglos die Rosenstiele im Wasser, die matt-weiße Klosettschüssel hat sich mit bläulich gesprungenen Äderchen überzogen. Manchmal, wenn jemand heftig an der Spülung zieht, grollt sie ununterbrochen vor sich hin, irritiert horchen wir auf das dumpfe Rauschen, einige halten es nicht mehr aus und stecken nervös die Finger in die Ohren. Endlich nimmt das Rauschen ab, hält an, gurgelt nochmals in kurzen Stößen, das Wasser flutet in der blaugeäderten Schüssel zurück. Am unteren Rand wird ein kaum mehr lesbares Markenzeichen sichtbar, eine alte Beschriftung, unter dem letzten fortschießenden Wasserstrahl zittern die verschnörkelten Schattenstriche: The Deluge

Länger und länger wurden die Tage im Haus. Nach dem Dreiuhrkaffee quoll aus den stehengebliebenen Tassen die Sättigung auf. Zäh rückte der Uhrzeiger vor, schlich sich mühsam zur Vier durch, die schwellend vor Schläfrigkeit im Ziffer-blatt stand. Dann verlor sie langsam ihre Prallheit, schrumpfte zu schmerzlich dünnblauen Nachmittagsschatten zusammen. Kaum noch, wie unter einer leicht zerbrechlichen Glasdecke, hielten diese den nun alles überstürzenden Wunsch, davonzulaufen. Alles stehen zu lassen. Hellwach, noch nicht zermürbt von den letzten, zwanghaft abgesessenen Stunden, in den offenen Abend zu laufen. Wie wäre es, stellte ich mir vor, wenn ich in einer Fabrik arbeitete. An einem hektischen Fließband. Könnte doch sein. Oder in einer noch viel ausgeklügelteren Verwaltung, in einer geradezu System gewordenen Unübersichtlichkeit. Da gäbe es auch kein Ausflippen. Da hieße es, beharrlich die Sirene abwarten. Jahrelang. Einlebenlang. Aber irgendwie war das eine zwecklose Solidarität. Und hätte sie etwas geändert? Blieb das Verweigern auf der kleinsten Linie. Der einzelne, beinahe schüchterne (bei dem Wissen um die angestellten Vergleiche!) aber unüberhörbare Protest, weiter mitzumachen. Aus heiterhellem Himmel das Gesuch, um drei Uhr nachmittags die Arbeit einzustellen. Aber sicher, bedingt Lohnsenkung, weiß ich, mit den Aufstiegsmöglichkeiten ist's aus, dafür ist Präsenzzeit notwendig, verstehen Sie, totale Präsenzzeit! Ich nicke, ich spüre förmlich, wie ein spöttisches Schelmenlachen mir bis zu den Ohren hinauskraust, sind Sie denn je der Täuschung verfallen, ich hätte etwas übrig für Karrieren? Die sind mir so recht von Herzen zuwider. Das Telefon schrillt. Die Verhandlung wird unterbrochen. Ich wandre den schmalen Rissen in der Stukkaturendecke über mir nach, die blinzeln mir in listigem Erstaunen zu, ich bin zäher als gedacht, während Monaten wurde mein Gesuch vertagt, aber jetzt werde ich es schaffen. Man kann einfach nichts anfangen mit dem Häufchen Unbeirrbarkeit, die mit mir auf dem Stuhl sitzt. Bewilligt! So wurde es erster April

Drei Uhr. Ich rühre mich nicht. In den Gängen schlagen Türen auf und zu. Fast herzklopfend warte ich mit dem Mantel in der Hand, bis sich die Schritte verlaufen. Hastig knöpfe ich mir den Mantelkragen zu, die Blattgirlanden im Treppenhaus flammen unbeweglich im Fenster. Wenn nur Ce sich nicht unten am Geländer aufstützt, die Zigarettenasche an den kugelförmig gedrechselten Pfostenenden abklopft und mir mit leeren Augen entgegen sieht. Unwillig, verwirrt über meine Beschämung gehe ich schneller die Treppen hinunter, die Kette rasselt kurz hinter der Türe, woher diese zwanghafte Heimlichkeit, das eroberte Stückchen Freiheit vor den andern zu verbergen. Als wäre ich ein gemeiner Ausreißer. Ein Deserteur. Langsam überquere ich die Zufahrt zum Obergericht, laufe in das viel zu warme Frühlingslicht hinaus, ein ungläubig verzücktes Grün flockt von den Kastanienbäumen. Ich biege in dichter befahrene Straßen ein, gehe in hellem Schrecken über die Plätze. Graue Häuserberge schieben sich steil in die Luft. Die Stadt vibriert von Bewegung, von Geschäftigkeit. Netze von Berechnungen flitzen vorüber, Ge-

dankensysteme, alles Selbstorganisationen, wie
fein zurechtgesägte Kartonfiguren schnellen wir
darin umher nach vorgeschriebener Zeit. Vor-
zeitig ausgebrochen stehst du auf einmal unge-
schützt mittendrin. Jede ablenkende Beschäftigung verweigernd. Weiß fliegt, hinter dem was
vorüberhastet, die Ungefülltheit der Welt auf.
Ohne Gewicht

Ihr Beruf? Die Sekretärin auf dem Amt schaut
von der Schreibmaschine auf. Sie werden doch
einen Beruf haben? (Ich beantrage nächstens, daß
man diese Frage aus allen Registern streicht!)
Alle wollen sie herausklauben, welcher Berufs-
gattung man angehört, die Paßaussteller, die
Pensionsbesitzer, die Umweltschützler, die Mei-
nungsforscher, alle schieben einem diskret aber
unnachgiebig ein Blöckchen mit Durchschlag unter, in einem dicken schwarzen Karree steht Beruf, Doppelpunkt. Früher habe ich das besagte
Kästchen schlicht ignoriert, neuerdings versetze
ich auf die Frage lakonisch: Verschiedenes. (Und
was weiß man übrigens von mir, wenn ich einen
bestimmten Beruf angebe? Eine Beruhigungs-
pille. Weiter nichts. Ich habe mir solche Fragen
längst abgewöhnt. Eine kleine Neugierde bleibt
natürlich, aber weshalb ihr gleich die Ohren zu-
stopfen? Vielleicht gelte ich deswegen als ein bißchen desinteressiert.) Ich bin für Arbeitsteilung!
Hat man das noch nicht kapiert. Nicht zu plan-
los, nicht zu schnell. Um das Risiko der Ober-
flächlichkeit. Mag sein. Wenn aber erst die Ober-

fläche einmal interessant geworden ist? Es hat noch selten eine Gesellschaft gegeben, die ihre Geschwüre so gut geheimhalten konnte, daß man sie nicht gerade an den obenauf schwimmenden Fieberbläschen entdeckt hätte. Es gibt einen bestimmten Grad des Sichauskennens, der gefährlich wird. Immer unausweichlicher gerät man in den Sog der Verflechtungen hinein, immer tiefer wird man wie durch die stetig anwachsenden Stockwerke eines Hauses hinuntergezogen. Die geräuschlose Verfärbung, die Erschlaffung, die einem passiert. Der langsame Luftentzug. Ich hatte mir ein Schloß gebaut, seine Grundrisse bedeckten den ganzen Stubentisch, haarscharf stürzten hinter den äußersten Wällen die Tischkanten ab. Es war weit und geräumig, ich konnte mich, auf einem hochgeschraubten Schemel davorsitzend, ganz in die braundunklen Hallen hineinbeugen, durch farbige Cellophanfensterchen fielen dämmerig getönte Lichtbahnen über die Treppenaufgänge. Stumm, versunken saß ich im Schloß, über mir die spitzen Türmchen, die zierlichen Terrassengeländer, die hintereinander gestaffelten Giebel. Einmal entwendete ich ein halbvolles Tintenglas, schüttete die königsblaue Flüssigkeit mit Wasser auf, vom Bachschwemmland hinter dem Haus hatte ich Schneeglöckchen gepflückt, die stellte ich mit den noch knackig grünen Stielen ins Tintenglas. Geheimnisvoll leuchtete das Königsblau, die weißen Blütenzacken im halbdunklen Schloß. Ich trug das Glas in den tiefstgelegenen Hof. Nach Tagen erst kam ich wieder ins Schloß, stahl mich durch die Säle, wie erschrak ich im innersten Säulengang: dünne Wasseradern klebten vertrocknet am Glas, schlaff, ganz blau verfärbt, wie kleine Leichen, hingen die Schneeglöckchen hinab

Ich muß das Schloß zerstört haben. Ich habe nur noch Überführungen, Seilbahnbrücken gebaut, bin nur noch auf Trottoirrändern umhergelaufen. Manchmal bin ich des Flanierens überdrüssig, ich stelle mir vor: bis zur Nasenspitze in einer Beschäftigung stecken! Herrlich. Ich verhandle am Schalter durch die Sprechscheibe mit einem Institut, stürze ungemein interessiert in den Vorraum einer Schule, man drückt mir Grundsätzliches in die Hand, Formulare, Zulassungsbedingungen, Studienanleitungen, vielleicht nimmt man mich. Im letzten Moment erscheine ich nicht zur entscheidenden Sitzung, in hellichter Panik habe ich sämtliche Unterlagen säuberlich zerfetzt in den Papierkorb geworfen, bin einfach ausgerissen. Laufe durch die Stadt die kleine Anhöhe hinauf. Noch einmal davongekommen! Auf einem Dachgarten, vergessen zwischen aufschießenden Gebäuden, bläht sich ein oranger Schirm im Regen, in unregelmäßigen Stößen fährt ihm der Wind ins Gestänge, das Tuch spannt sich den Wolken entgegen. Sicher wird mein Beruf bald erfunden werden, die Lage ist alles andere als desparat, mit ein wenig Pfiffigkeit sieht man ihn schon sich am Horizont abzeichnen. Und dazwischen, für eine kaum fest-

zuhaltende Kürze, irgendwo, bleibt die Welt
stehen, lacht laut auf, klarblau, ohne Forderung.
Eine ungeheure Trägheit füllt mir warm alle
Glieder. Auch so ein komplettes perfektes Studium wäre nichts für mich gewesen, ich wäre dabei verkommen. Haben Sie studiert? fragen die
Leute. Es klingt wie ein Pistolenschuß aus ge-
sicherter Position. So muß es im alten Preußen
gewesen sein: Haben Sie gedient? Und wer wortkarg verneinte, sackte um die Hälfte ab im Ge-
sellschaftsnimbus

Es könnte zwar vorkommen, denke ich, daß ich
gegen meine eigene innere Gesetzlichkeit lebe,
vielen ist das so ergangen, ich wäre nicht die erste,
man freundet sich an mit dem Gedanken, eines
Tages verhaftet zu werden. Ich könnte im Blutigen Daumen vor einem Teller mit Siedfleisch und
Zwiebelringen sitzen, die Fenster sind dunstig
beschlagen, ein Hund mit hochverbundenem
Bein winselt unter dem Tisch. Die Eingangstüre
geht selten, gegen den Spätnachmittag ver-
düstern zwei Gestalten die matte Scheibe, ein eisi-
ger Luftzug weht herein. Sie kommen geradewegs auf mich zu, setzen sich an meinen Tisch, in
schwarzen Pelerinen und breitkrempigen Hüten. Sie bestellen nichts, nehmen die Hüte nicht
ab, lehnen sich nur auf den Stühlen etwas zurück,
klopfen mit den Stiefelabsätzen gegen den Boden, abwartend, raunen sich mit den Augen Un-
hörbares zu. Sie starren mir zu beim Essen, mit
verächtlich gekräuselten Lippen, Haß glimmt in

ihren Blicken. Dann schieben sie mir den Teller weg, haken mich unter (Sie wissen, man kann sich nicht widersetzen, es ist wie in einem Schraubstock), die Tür fliegt ihnen von selbst entgegen. Auf der Straße dreht sich keiner nach uns um, die Leute sehen mit leeren Augen durch uns hindurch, wir sind unsichtbar! begreife ich jäh. Du hast genug Umwege gemacht, sagen die schwarzen Gestalten. Jetzt führen wir dich. Und jedes Wort blitzt wie ein Fallbeil. Weit unten im Münsterhof sammelt sich eine Demonstration. Blutrote Transparente stechen wie grelle Flammen herauf, abgehackte Schreie, es wird gewütet gegen jede Art von Aufschub, gegen fortblendende Gedanken, einschießende Erinnerung, gegen Innehalten und sparsame Gewalt. Die gegen den Münsterhof abfallenden Straßen liegen verödet, aus den offenen Fenstern verlassener Wohnungen wehen weiße Vorhänge. Durch die nächste Seitengasse stürzt ein verspäteter Anführer, kreischt auf, als er uns erkennt, schleudert mir die Brandfackel ins Gesicht

Am letzten Arbeitstag stand ich in der Glasveranda, zufällig stand ich da, es war gerade niemand herum, ich hatte mich schon längst verabschiedet. Durch die hohen Glasscheiben schoß das Licht, tränkte die Hinterwand mit Licht, ich stand wie in einem Lichterker. Die Gänge verliefen im Dämmern, undeutlich lag unten der Hof. Auf einmal, eine weiche Streifung, wußte ich, daß nichts mich von außen zwang, hier zu gehen, wieder entzog ich mich schlafwandlerisch. Ich hatte mich selbst entlassen, zog weg, geräuschlos. Ins Leere. Unten lehnte Ce in der halboffenen Türe, ingrimmig spöttisch, so, und du haust einfach wieder ab! Heute abend besuche ich dich, gab ich zurück, meinst du, ich finde deine Wohnung? Nicht zu verfehlen, sagte Ce, zuerst die zwei Abbruchhäuser, dann das große Bürohaus, da bin ich oben drin, unten hängt noch ein früheres Schildchen, Privatzahntechniker, bitte zweimal klingeln. Das Haus war wirklich leicht zu finden, das Schildchen, schwarzumrändert, leuchtete zuversichtlich. Nur der Name von Ce war nicht zu entdecken. Auch kein Klingelknopf. In einer Wandnische hatte Ce einen Briefkasten aus gelbem Plastik angebracht, auf einem aufgeleimten Papierstreifen hatte sie mit Bleistift flüchtig ihren Zunamen hingekritzelt. Farbige Werbeprospekte stauten sich zu beiden Seiten und guckten zusammengepfercht aus dem Schlitz, Ce schien sie jeweils ungelesen in die Ecken zu schieben, um etwaige Briefe herauszuklauben. Etwas zerstreut zupfte ich an den heraushängenden Prospektenden, ich konnte doch schließlich nicht durch den Briefkastenschlitz in Ces Wohnung gelangen. Ich trat auf die gegenüberliegende Straßenseite und fixierte das Haus, nach einer Weile ging oben ein Fenster, aus dem schwach beleuchteten Rechteck schob sich Ces Kopf heraus. Da bist du ja! rief sie hinunter. Hast du denn nicht gerufen? Nein, Klingel habe ich nicht. Wozu auch. Wart, ich komme hinunter, um dir zu öffnen. Das Fenster klappte zu. Und wenn du einmal Besuch hast, wenn unerwartet jemand kommt, wie findet man dich da? Ce zuckte die Achseln, wer sollte schon kommen, sagte sie einsilbig. Manchmal mag ich auch gar keine Leute mehr sehen am Abend, ich sitze oben herum und tue keinen Wank, wenn ich jemanden rufen höre

Ces Wohnung liegt hoch. Wenn der Dunst sich ansammelt gegen den Winter, rauscht der Verkehr wie durch einen Schleier hinauf, die in den Nächten schwirrenden Giftgase federn darauf ab. Durch einen langen Flur kommen wir an den letzten Büroräumen vorbei. Ce schlendert nachlässig voraus, die Schultern frierend eingezogen, darf ich bekanntmachen, sagt sie gespielt, die Silben hüpfen ein bißchen zu schrill darin, meine Verwandten, meine ständigen Freunde, meine Zimmernachbarn: einen lahmgelegten Computer, einen oft noch in der Nacht gespenstisch vor sich hintickenden Telex, mürrisch spröde Rechenmaschinen, Formularschränke, Gesuchsabteilungen, Bewilligungsabteilungen, aber, sage ich, das hast du doch schon den ganzen Tag über um dich! Eine Verwandtschaft ersten Grades wie du siehst, sagt Ce bitter, sozusagen eine Blutsverwandtschaft, man kommt nicht mehr von ihr los. Dann schubst mich Ce durch eine Milchglastüre. Jetzt sind wir da. Wir stehen in einem kleinen Gangviereck, die Wände sind wohl viel früher einmal gelblich gestrichen worden. An einem Haken hängen die Regenhäute von Ce, eine blaugraue und eine graue, meistens hat sie die graue an, an föhnigen Tagen kann man sie in der Mittagspause darin dem See entlang wandern sehen, ein kleiner aufgeblasener Punkt. Sie läßt sich in Windrichtung an den Quaihotels, den verriegelten Bootshäusern vorbei treiben. Jeder, der sie so sieht, muß befürchten, sie kommt nicht mehr. (Man wäre eine immer hinausgeschobene Verantwortung los, einen heimlich unerträglich gewordenen Anblick.) Aber Ce ist fast pünktlich zurück, sitzt mit ausdruckslosen Augen hinter dem Tisch, die Regenhaut baumelt im Badezimmer zum Trocknen. Ich habe mir als Kind immer Schwimmhäute gewünscht, sagt Ce, Schwimmhäute zwischen den Fingern, die Finger stünden dann nicht so allein und verlassen ab. So, mach dir's bequem irgendwo, ruft sie aus der Küche, du magst doch eine Tasse Tee, oder? Ich stoße eine angelehnte Türe auf, ich schaue inzwischen ein wenig dein Zimmer an. (Es hat keinen Heizkörper, eine muffige Kühle schlägt mir entgegen.) Hm. Nichts Besonderes, kommt es aus der Küche. Das Teewasser kocht jetzt hörbar herüber, das Zimmer ist so eng, daß man es mit einem einzigen Blick fassen kann. Kein Plakat, kein hingestupfter Zettel, nichts an den Wänden. In einer Ecke zusammengedrückt, bereits beim Eintreten hatte ich mich mit den Schuhen in einem Leintuch verheddert, liegt die Matratze. Eine dünne, dem bloßen Boden aufliegende Matratze, in den zerknüllten Gruben des Leintuches sammelt sich die Zigarettenasche. Halb unter

dem Leintuch ein paar Schuhe, ein wie zorn-
wütig hingeworfener Wecker. Hast du denn
keine Lampe, frage ich nachdenklich, Ce ist her-
übergekommen, sie steht schwarz in der Tür-
öffnung, sie hat ein Bein hochgezogen, mit der
Ferse stützt sie es auf dem Knie ab. Nein, sagt sie
gedehnt, wozu auch. Das sind so meine Schlupf-
löcher. Sie wendet sich, halblaut vor sich hinpfei-
fend, den andern Zimmern zu, auch da habe ich
kein Licht. Wem's nicht paßt, der muß ja nicht
herkommen. Und ich konnte mich einfach nicht
aufraffen, in der Stadt hinter einer Lampe her-
zujagen. Wir stehen im nächsten Zimmer, Schnüre
hangen in der ganzen Quere, Wäschestücke im
Dunkeln, in den Plastikbecken darunter schimmern kleine Wasserlachen. Das Zimmer ist eigentlich als Gästezimmer gedacht, sagt Ce, aber denk,
der Aufwand, es herzurichten. Sie stößt die nächste Türe auf. Ein niedriger Tisch, drei Stühle stehen darin, hier kann man essen, meint sie nun
fast lebhaft, wenn man die Türe offenläßt, sieht
man mit dem Ganglicht auch genügend hell.
Schließlich setzen wir uns, auf phantastisch auf-
geplusterten Kissen, in einem letzten Zimmer auf
den Boden. Hier brennt eine chinesische Lampe,
ein übervolles Büchergestell aus schwarzem Holz
reicht bis zur Decke. Ce lächelt fast etwas verlegen. Ich habe früher einmal viel gelesen, so Psy-
chologie und so, jetzt rühr ich die Dinger nicht
mehr an. An der Wand hängt ein schmaler läng-
licher Poster, der einzige hier. Es scheint ein
vergrößerter Nachdruck alter Robinson-Crusoe-

Illustrationen zu sein. Eine langgezogene Sanddüne. Die vom Sand schon fast wieder verwischten Menschenspuren. Dahinter schaumige Meerestäler. Die Meeresweite. Nichts mehr. Ce schlürft genießerisch den Tee vor sich hin. Mein Kleiderschrank, sagt sie und hakt mit der Fußspitze die Schranktüre auf. Das Kleiderabteil ist gähnend leer, nur ein paar lose Bügel, das Quergestell darüber ist vollgestopft mit Pullovern. Schwarze Pullover, aus Wolle, aus Kunstwolle, mit und ohne Rollkragen, mit eingestricktem Zopfmuster, mit Kurz- und Langarm, mit froncierten Achseln, du hast ja eine Unmenge von Pullovern, Ce! Und sehen aus wie niegetragen. Sind sie auch nicht, sagt Ce. Sie schaut mit einem kurzen, nichts mehr zurückhaltenden Blick zu mir hinüber. Oft fühle ich mich am freien Samstag so elend, daß ich wahllos in die Stadt laufe. Mich vom warmen Luftstrom am Eingang der Warenhäuser ansaugen lasse. Ich nicke Ce zu. Und dann, sage ich, lassen wir uns vom großen summenden erhitzten Luftstrom durch die Auslagen treiben, willenlos, erinnerungslos, Musik träufelt betörend nieder, ununterbrochen, nicht einmal im Lift läßt sie einen los, aus direkt über dem Kopf angebrachten Lautsprechern rieselt sie unentwegt weiter, ununterbrochene Gehirnberieselung. Betäubt, aller Schmerzen ledig, schiffen wir aus, schwimmen ins Stockwerk der von regenbogenfarbigen Glühlampen erleuchteten Pullover. Verführerisch rote Pullover, gelbgestreifte, grüngemoppte, sagt Ce, und ich stehe da, zitternd vor Begehrlichkeit, wundersüchtig in diesen überquellenden, sättigenden Farben, ich schlüpfe in einen brennend roten Pullover, langsam fällt er mir über den Hals. Ich strecke, vor dem irisierenden Spiegel, in einer sich bis in die Fingerspitzen krümmenden Ekstase die Arme. Nur die verräterisch dunkel gebliebenen Augen. Warum muß ich über mich erschrecken. Ich beuge mich vor im Spiegelglas, wenn ich solch rote Farben trüge, denke ich, es wäre eine Blasphemie. Und mit flatterndem Weh streichst du noch einmal über die mutwillig gelben Streifen, die grünen Moppen, rufst der Verkäuferin, sie döst mit halbgeschlossenen Lidern vor sich hin, sie döst in einer von violettem Flimmerlicht durchhellten Plexiglaskugel, bitte schwarze Pullover, sagst du. Die schwarzen Pullover wirbeln von der Stange, schwarze Möven, schwarze Dörfer, schwarze Totenglocken, jeder paßt, schließt sich dir unausweichlich um den Hals an. Ich vergleiche die verschiedenen Ausführungen, eine scheinbare Wahl noch, ich lasse sie alle verrechnen, schwimme in den überhitzten Luftstrom zurück. Überwinde mit Widerstand den gegen mich flutenden Eingangssog. Schon in der Straßenbahn wage ich die Pulloversäcke nicht mehr zu öffnen, eine kaum mehr bezähmbare Verzweiflung gegen diese Todesneigung in mir wächst mit jeder Bewegung. Hätte ich doch jenen roten Pullover genommen! Ich hätte ein neues Leben geführt. Ein überbordendes Leben! Ich hätte diese Schatten in mir zu Boden geworfen, diese kaum abgeschlossenen Verzichte, stürmisch vor rotem Vergessen. Wieder Bilder, wie ich werden möchte. Stark, runder Flug, über tiefen Wiesen, versunken in honiggoldenen Städten, aufschluchzend vergräbst du den Kopf in den Armen am Straßenbahnfenster. Bei der nächsten Haltestelle hat man dich aus dem Wagen entfernt

Mit einer brüsken Zehenbewegung stößt Ce die Schranktüre zu, schaut mich mit blanken Augen an. Der Tee ist längst erkaltet. Ausgelassen balanciert Ce über die Kissenberge am Boden. Wie das regnet draußen! ruft sie triumphierend. Was! Wenn die Welt jetzt auslöschen würde? Der Spektakel! Nur bei mir merkte es niemand. Ginge nichts verloren, sagt sie still. Mit einer fast sachlichen, unzugänglichen Miene steht sie im schwach beleuchteten Gangviereck, schaust du einmal bei uns herein, wenn du zurück bist? Ich schreibe nie und vergesse schnell. Wie ich durch den Flur den Büroräumen entlang gehe, höre ich ihre Türe ins Schloß fallen. Unten am Ende der Treppe, vor die Haustüre gekommen, warte ich unschlüssig, ob sie nochmals das Fenster gegen die Straße hinunter öffnen wird. Es ist nichts mehr von Ce zu sehen

Unterliege ich einer Täuschung? Der Platz ist so leer geworden, leerer noch als die Straßen vorhin, kann das sein. Auch die sonst weit den Platz überlappende Schicht bodenförmiger Gewohnheiten, weggetreten alles, die mulmige Stille, die eingefrorene Zuhörerschaft. Weggetreten auch das zögernde Verwundern, die hellgrauen Zwiegespräche. Die durchsichtigen Vergangenheitsfolien blättern von den Gedächtniswänden. Weggetreten der letzte bunte Leerlauf: sich noch einmal zu vertun. Im heimlichen Wirbel von Verbotenem. Verzauberte Maskerade. Einzuwilligen in das ungeheure Gesetz der Verschwendung, überscharf zu erlöschen unter den Föhnlichtern, die wie weiße Schatten von den Fenstersimsen fallen. Doch der Platz ist schon eingerichtet für morgen. Endgültig verwerfe ich die unkontrollierbaren Vermutungen einer beängstigenden Tabula rasa. Eines tödlichen Entzugs. Aus den tiefer gelegenen Seitenstraßen blinken erhellte Wohnungen herüber. Hinter einem halb zurückgezogenen Vorhang holt eine Frau ein Gewürzdöschen von einem olivengrünen Gestell, jemand muß sie, durch die nicht sichtbare Tür rufend, unterbrochen haben, sie hält inne, den klopfenden Finger am Döschen, und neigt lachend den Kopf nach hinten, das vom Dampf gelockte Haar kräuselt sich ihr um den Hals, sie schüttelt das Gewürzdöschen im Lachen, streunende Spuren fallen ihr in die Halsgrube, sie beugt sich schnell wieder nach vorn über den Tisch, fährt sich mit dem nassen Finger darüber. Der Abend um die lampenhellen Fenster. Sie haben etwas Unwirkliches, denke ich, etwas nie mehr zu Erreichendes, ich stehe davor wie vor sehnsüchtig verlogenen Relikten. Manchmal verlasse ich nachts noch das Zimmer, gehe plötzlich die Stiegen hinunter, über die Kanalbrücke, zum nächsten Briefkasten, und werfe einen vor Tagen geschriebenen Brief ein, ich habe die Hängelampe über meinem Tisch brennen lassen, eine stille Kugel hängt sie dort oben, ich lehne auf der Brücke übers Geländer und schaue hinauf, so sieht es also aus, wenn ich dort oben wohne. Da also war ich

Über Tes Eßtisch reicht tief von der Decke eine tellerscheibenförmige Lampe mit einer schmalen Blechhaube. (Eine entwürdigende Beschreibung! ich weiß, ich bin zu lange nicht mehr dort gewesen, halb zornig halb scheu geworden an unserer verschlossenen Gesprächigkeit.) Ich erinnere mich nur an das glockenförmig über den runden Tisch fallende Licht, metallisches Licht, die Fenster leer, ohne Gardinen, die Mietsblöcke treten durch die Scheiben herein. Ein kahles Quartier, wir sitzen im metallischen Lichtkegel im dunklen Zimmer. Te hat auf dem Tisch ein paar Dias aufgetürmt, vielleicht sind es nur sechs oder sieben, ich habe die Arme aufgestützt, ich halte einen winzigen Handprojektor gegen die Lampe. Bildchen schießen ein. In tiefer abwesender Ferne. Der von Schilfreihen umstandene See. Grünschattige Hänge im braunen Herbst. Der Bauernhof in der erhöhten Mulde, ein großes ruhendes Gehöft. Laubrote Nußbäume. Eine müde Wagendeichsel. Dünne, hinter goldig verwelkten Wiesenrändern aufsteigende Rauchsäulen. Verglimmende Kartoffelfeuer. Die Fensternische gegen den See zu, die Glasscheiben, von Birnenspalier durchbrochen. Mein Tisch, sagt Te. Heu im Rauhreifnebel. Der Glanz. Im Finstern die Mietshäuser um uns, die baumlosen Hinterhöfe. Wir sitzen im metallischen Lichtkegel, halten den kleinen Handprojektor gegen die Lampe, die kahlen Quartiere um uns in der Nacht. Traumhaft verschlossen leuchten die Bildchen. Eine bis an die Grenzen des Unglaubwürdigen ferngerückte Heimwehmaschinerie, Te hat den kleinen aufgetürmten Stoß von Dias beiseite geschoben. Mit dem Messer schabt er sorgfältig an einer Käserinde. In der Wohnung über uns klingelt ein Telefon, niemand nimmt es ab, die abgeschabte Käserinde fällt in dünnen, brüchigen Kringeln über den Tischrand. Te schaut mit gespielter Strenge nach meinem Teller, iß jetzt! sagt er mit neckisch gerunzelter Braue. Die Hochzeit oben am Dorf. Das schwachsinnige Mädchen im roten Kleid. Brigitte. Mit den breiten stämmigen Wangenknochen, den derben Händen, dem unaufhörlichen Lachen wenn sie in den Wolladen hinter der Kirche trat. Mit heißhungrigen Augen näherte sie sich dem Tisch mit den aufgerollten Samtbändern, befühlte die pelzweiche Oberfläche, fuhr mit den Fingern über die Seidenborten und vergrub sie mit einem befriedigt aufgurgelnden Lachen in den Angoraknäueln, die zum Auszählen auf dem Tisch lagen. Nach ihrem Anliegen befragt, zog sie langsam, ängstlich die Hände zurück, fingerte nach einem Zettelchen im Mantelsack, es stand aber nichts darauf, sie mußte nach Hause geschickt werden,

um es sich aufschreiben zu lassen. Sie lachte mit
selig verschreckten Augen wenn man sie an-
sprach, dann stapfte sie über die ansteigenden
Wiesen auf den Bauernhof zu, wo auch ihr Kind
war. Sie zeigte sich nie mit dem Kind zusammen
im Dorf. Eigensinnig stieß sie es in seine Kammer zurück, wenn sie sich umzog und das verschossene rote Kleid aus dem Schrank holte, und
das Kind, witternd daß sie ins Dorf ging, sich in
dumpfer Neugier zu ihr schleichen wollte. Es
war ein Junge, gedrungen, unfähig zu sprechen,
trotz seiner vielleicht schon bald vierzehn Jahre,
auf der platten Stirne hatte sich eine schmerzliche, strenge Falte eingegraben. Brigitte schien
nie Muttergefühle verspürt zu haben, der Junge
war ihr unverhohlen eine Last. Unverständlich,
teilnahmslos schaute sie zu, wenn er mit ver-
zücktem Lallen hinter den jungen Schweinchen
im Hof hertrieb oder in jähen, schrillen, flut-
artigen Weinkrämpfen den Kopf gegen die Stall-
wand schlug. Vielleicht hielt sie es seinetwegen
nie lange im Haus aus, unablässig war sie damit
beschäftigt, ins Dorf zu gehen. Hier lebte sie
auf. Wenn sie so allein durch die Straßen ging,
vor den Ladeneingängen stehenblieb, überzog
ein freudig erregtes Rot ihre Wangen. In den
heißen Juninächten wurde sie unruhig. Sie wim-
merte wie unter einer unsichtbaren Last. Heuschwaden flogen wieder vor ihr auf, die fremde
Hand, die sich wild in sie hineinwühlte, der
Schatten des betrunkenen Soldaten, der über die
verlassene Heubodenwand wuchs und ihr ver-

wundertes Aufschluchzen erstickte. Leise versteifte sich ihr sonnenblumiges Gesicht, sie flüchtete sich nicht mehr, sie sog den Geruch der fahrig über sie hinstreichenden Hände in sich hinein, sie lag still im Heu, tief gesättigt. Sie fühlte das Blut aus ihr rinnen, das Brüllen einer Kuh aus dem Dorf, im Weißdorn hinter der Wiese erstarb das Zirpen einer Grille. Schwarz, von zerbrochenen Schmetterlingen überhangen, wird es Tag, mißtrauisch sieht der Bauer nach dem offenen Heuboden, wo Brigitte mit über dem Kopf gebogenen Armen steht, bewegungslos, ein fast fiebriges Glänzen in den Augen. Nebel. Heuschwaden im Frost. Der kleine aufgetürmte Stoß von Dias ist seitwärts eingestürzt. Ich muß plötzlich aus Tes Wohnung gelaufen sein. Er saß auf dem Stuhl vor der weißen Wand, ich kann dir leider kein Sofa anbieten, bemerkte er spöttisch und sah mich nachdenklich an. Ich saß auf der anderen Seite, halb noch im metallisch mir die Füße überschneidenden Licht, ich wollte etwas sagen, etwas vorbringen, ich hätte gerne gelacht über eine verschrobene Einbildung, über viel zu aufwendige Reflexionen, Trichter von Reflexionen, früher, wollte ich sagen, kam ich mir einbrecherisch vor dir gegenüber, weil ich überhaupt noch nie bei dir eingebrochen war, jetzt wußte ich auf einmal: es gab gar nichts mehr einzubrechen. Selbst die kleinste geschützteste Mauerstelle hatte Te schon durchlöchert, von innen her gerammt und zugleich durch nicht abreißende Kontrolle uneinnehmbar besetzt. Schon halbe, plötzlich herausfordernde Worte zerzwitscherten davor wie Papiergeschosse, zerbröselten mir auf den dünnen Balken der Gedankenstriche, die zwischen unseren Sätzen schaukelten, schwarze dünne gefährliche Balken, aber wir umschifften sie immer sicherer, immer zustimmender in mutmaßliche Entfernungen, wir standen auf den Verdecken und winkten uns zu, in gottlos knirschendem Leichtsinn, stumm, es gab nichts auf die Schiffe hinüberzuwechseln. Es waren durchsichtige, lichtgeäderte Hülsen. Ich streckte Te die Hand hin, aus der Wohnung! dachte ich stürmisch. Fast ohne den geringsten Bewegungsaufwand kam ich über die Böschung hinter dem Haus, die in eine gegen den See hin wieder abfallende Anhöhe überging. Ich lief gleichmäßig, jetzt schon auf der Seestraße, an der Sukkulentensammlung vorbei, gleichmäßig, gedankenlos, gefühllos, unfähig in eine der langsam vor mir haltenden Straßenbahnen einzusteigen. (Die Schrittebene verlassen! eine andere Bewegung zu koordinieren.) Ganz schmal werden. Die Ränder abstoßen, die ausgezogenen Ränder, die nach innen zerfransten Falten, abstoßen so im Gehen, zurücklassen. Schmalwerden auf einen neuen Ausgangspunkt zu. Die Gesten würden anders sein, vor allem die Gesten, die Gedankenperspektiven. Das Lachen. Und Augenblicke! Die Rückschlüsse. Zu wohnen. Zu reisen. Alles

Ich gehe, ich gehe auf die Sihlbrücke zu, das Wasser schlängelt sich schwarz zwischen den

Hochhäusern durch. Schwarz stehen die Kastanienbäume unten am Fluß, eine der letzten zurückgebliebenen Grünanlagen, wo die weißgestreiften Bälle der Kinder rollen, die Hinterlichter der Fahrräder blitzen, die Alten sinnierend mit Pflaumenbackwerk und endlos überlesenen Zeitungen durch den Nachmittag stochern. Wo, ich beuge mich erstarrt übers Geländer: die Flußwege sind zugeschüttet. Das Wasser. Stockt. Die Kastanienreihen abgeholzt. Ungläubig versuche ich den glasigen Schein der Straßenbeleuchtung, der schräg über den Fluß hinunter fällt, zu durchdringen. Langsam gewöhnen sich die Augen an die unbeleuchtete Gegend dahinter, den schwarzen Korridor von Hochhäusern, die Krümmung des Flusses dazwischen, man sah dahinter, weit hinter den Industriequartieren, ins Flußtal hinein, aber die Krümmung des Flusses, ich kann sie nicht mehr ausmachen, es gibt keine Luftlücke mehr zwischen den ins Wasser hangenden Kastanien, es gibt keine Kastanienbäume mehr, der Blick prallt ab an gigantisch hochwachsenden Betonsäulen, Zoll um Zoll schieben sie sich durch das ausgeschotterte Flußbett vor, bewehrt von eisernen Gerüsten, die höchstmöglichste Berechnung, das letzte grüne Aufatmen zu ersticken, langsam, periodisch, aber unaufhaltsam wird von außen die Stadt zugeschüttet, zugemauert, werden in brutaler Unauffälligkeit die letzten Reservate besetzt, in schonungsloser Strategie zerstört, ein kurzer präziser Moment offenen Träumens und man droht dich zu verraten, zu überholen, einzumauern zwischen auswegslos gewordenen Straßen, Wahnwitz! krümmt sich in dir ein Schrei zusammen, mitten im vorwärts drängenden Gewimmel schlägst du einen Platz um dich frei, rufst einen Stillstand aus! da siehst du, aus den schon eingebrochenen Jalousien über dir, verspritzte Farbbeutel, die rote Flüssigkeit rinnen, wie gemordetes Blut stürzt es in dünnen Rinnsalen über die Fenstersimse, tröpfelt den Mauern entlang, wie habe ich mich verspätet, verspätet

Von Gertrud Leutenegger
erschienen im Suhrkamp Verlag

Vorabend. *Roman.* 1975. 208 S. Leinen
Ninive. *Roman.* 1977. 172 S. Leinen
Lebewohl, Gute Reise. Ein dramatisches Poem. 1980. 140 S.
edition suhrkamp Neue Folge Band 1

st 595 Ödön von Horváth
Geschichten aus dem Wiener Wald
Ein Film von Maximilian Schell
Mit zahlreichen Abbildungen
160 Seiten
Zur Uraufführung des Maximilian-Schell-Films »Geschichten aus dem Wiener Wald« nach dem Volksstück von Ödön von Horváth liegt dieser Band mit dem Drehbuch von Christopher Hampton und Maximilian Schell und zahlreichen Fotos des 1978 in Wien und Umgebung entstandenen Films vor, der den Entstehungsprozeß des Films dokumentiert.

st 596 Hans-Georg Gadamer, Jürgen Habermas
Das Erbe Hegels
Zwei Reden aus Anlaß des Hegel-Preises
104 Seiten
»Niemand sollte für sich in Anspruch nehmen, ausmessen zu wollen, was alles in der großen Erbschaft des Hegelschen Denkens auf uns gekommen ist. Es muß einem jeden genügen, selber Erbe zu sein und sich Rechenschaft zu geben, was er aus dieser Erbschaft angenommen hat.«
Hans-Georg Gadamer

st 597 Wilhelm Korff
Kernenergie und Moraltheologie
Der Beitrag der theologischen Ethik zur Frage
allgemeiner Kriterien ethischer Entscheidungsprozesse
104 Seiten
Die vorliegende Studie ist einer konkreten Herausforderung entsprungen. Im Entscheidungskonflikt um das Projekt eines Kernkraftwerks in Wyhl/Oberrhein wurde der theologische Ethiker um eine Stellungnahme angegangen. Da die gegenwärtige ethische Theorie wenig Strategien hinlänglicher Leistungsfähigkeit bereitstellt, wandte sich der Verfasser den tradierten Modellen zu, um ihnen mögliche Gesichtspunkte abzugewinnen.

st 598 Wolfgang Hildesheimer
Mozart
Mit Abbildungen
418 Seiten
»Nicht Brevier für Spezialisten, nicht Trostbuch für Schwärmer, ist Hildesheimers *Mozart* vielleicht das erste reale Mozart-Portrait: eine gewaltige Etüde zum Thema Rezeption, kritisch auf allen Stufen.«   *Adolf Muschg*

st 599 Max Frisch
Herr Biedermann und die Brandstifter
Rip van Winkle
Zwei Hörspiele
114 Seiten
Es ist die Meisterschaft Max Frischs, Unterhaltung und Belehrung, Komik und Politik zum Vorteil beider zu verschränken. Die gewollt-ungewollte Konspiration von Biedermännern und Brandstiftern, Spießern und Gangstern ist eine Burleske ersten Ranges – und zugleich ein Beitrag zur Urgeschichte des Totalitären.

st 600 Martin Walser
Ein fliehendes Pferd
Novelle
152 Seiten
». . . diese Geschichte könnte zu dem gehören, das einmal übrigbleibt von einem Jahrhundert.« *Stuttgarter Zeitung*

st 601 Wolfgang Koeppen
Tauben im Gras
Roman
210 Seiten
Tauben im Gras (1951) ist der erste Roman jener »Trilogie des Scheiterns«, mit der Koeppen eine erste kritische Bestandsaufnahme der sich formierenden Bundesrepublik gab. Mit Vehemenz und unerbittlicher Schärfe analysiert Koeppen die Rückstände jener Ideologien und Verhaltensweisen, die zu Faschismus und Krieg geführt haben und die schließlich in den fünfziger Jahren die Restauration der überkommenen Verhältnisse protegierten.

st 602 Marie-Louise von Franz
Zahl und Zeit
Psychologische Überlegungen zu einer Annährung von Tiefenpsychologie und Physik
298 Seiten

In die interessanten Analysen der Eigenschaften von Zahlen gehen altchinesische kosmische Zahlenpläne und die Zahlenspekulationen der Alchimisten ebenso ein wie die zahlenphilosophischen Überlegungen moderner Mathematiker und Physiker. Hervorgehoben wird besonders der qualitative Aspekt der Zahlen, der sie nicht zu bloß quantitativen Größen, sondern zu ›Individualitäten‹ macht. Zugleich ergeben sich neue Ansatzpunkte für die Diskussion der Zeit, besonders im Hinblick auf synchronistische und andere parapsychologische Phänomene.

st 603 Herbert W. Franke
Einsteins Erben
Science-fiction-Geschichten
Phantastische Bibliothek Band 41
166 Seiten
Informationsexplosion, Überbevölkerung, Umweltverschmutzung, Kybernetik, Genetik, die Kontrolle und Versklavung des Menschen durch die Technologie, Warnung vor Konformismus und Manipulation des Menschen, die Erforschung fremder Planeten und die erstmalige Begegnung mit außerirdischen Lebewesen sind einige dieser von kritischem Geist durchdrungenen Erzählungen.

st 604 Paul Celan
Ausgewählte Gedichte
Zwei Reden
Nachwort von Beda Allemann
168 Seiten
Dieser Band enthält Gedichte aus den Sammlungen *Mohn und Gedächtnis, Von Schwelle zu Schwelle, Sprachgitter, Die Niemandsrose* und *Atemwende;* ferner die Rede zur Verleihung des Bremer Literaturpreises 1958 und die zur Verleihung des Büchner-Preises 1960 – zwei Dokumente, die zum Verständnis Celanscher Lyrik gleichermaßen bedeutend sind.

st 606 Ror Wolf
Die heiße Luft der Spiele
Mit Abbildungen
266 Seiten
Die heiße Luft der Spiele ist eine Art Ergänzungsband zu Ror Wolfs erstem Fußballbuch *Punkt ist Punkt* (st 122).

Das Material hat der Autor aufgenommen bei seinen Wanderungen durch Tribünen und Stehränge, bei Busfahrten zu gnadenlosen Auswärtsspielen, in Fan-Club-Kneipen, Spielerkabinen und an den Rändern der Trainingsplätze, wo man die wirklichen Experten trifft; die Naturdarsteller dieses nie zu Ende gehenden Total-Theaters.

st 607 E. M. Cioran
Syllogismen der Bitterkeit
Aus dem Französischen übersetzt und für die neue Auflage bearbeitet von Kurt Leonhard
104 Seiten
»Was diese Aphorismen zusammenhält, ist nicht eine Lehre, ein Denksystem, ... sondern es ist etwas schwer zu Definierendes; die Vitalität, das Lebensgefühl aus Einsamkeit, die konsequente, in ihrem Ernst an Verzweiflung grenzende Lebenshaltung, aber auch die Humanität, der Charme und die Liebenswürdigkeit einer großen Persönlichkeit.«   *Süddeutsche Zeitung*

st 609 Edward Bulwer Lytton
Das kommende Geschlecht
Roman
Aus dem Englischen von Michael Walter
Phantastische Bibliothek Band 42
162 Seiten
»Dies ›the coming race‹ wäre gar nicht so leicht zu übersetzen. Es ist nämlich nicht nur ›Eine Menschheit der Zukunft‹ darin; sondern auch die Warnung des ›Die da bald kommen!‹: die Vrilya verfügen über eine Art psychischer Atomkraft, mit der sie uns Überirdische vernichten werden ... Einer der trüberen Aspekte jener Neuen Gesellschaft ist der: daß keine rechten Kunstwerke mehr entstehen wollen ...«   *Arno Schmidt*

st 610 Ulrich Plenzdorf
Karla/Der alte Mann, das Pferd, die Straße
Texte zu Filmen
168 Seiten
Karla, jung wie eine Schülerin, naiv bis zur Kindlichkeit, ehrlich bis zum Fanatismus, gerät in einen eingefahrenen, bewährten und belobigten Schulbetrieb. Es bleibt nicht

aus: Karlas naiv-direktes Ehrlichkeitsprogramm kollidiert mit den verwickelten Tatsachen und Motiven des Alltags. – Der alte Mann ist ein siebzigjähriger Bauer. An einem Wintertag soll er ein Pferd, »den unnützen Fresser«, in die Stadt zum Schlachthof bringen. Auf dem Weg zur Stadt werden die Erinnerungen, Enttäuschungen und Träume eines bitteren Lebens beschworen.

st 611 Felix Timmermans
Der Heilige der kleinen Dinge
und andere Erzählungen
Aus dem Flämischen von Friedrich Markus Huebner, Karl Jacobs, Anton Kippenberg, Peter Mertens, Anna Valeton-Hoos
294 Seiten
Die Romangestalt Pallieter (st 400) hat Timmermans in der ganzen Welt berühmt gemacht. Das *Jesuskind in Flandern* nannte die Kritik sein schönstes Buch. Und nicht wegzudenken aus dem Werk des flämischen Dichters sind seine zauberischen, seine liebevollen Geschichten, deren Güte und Gläubigkeit sie uns märchenhaft entrücken.

st 612 Martin Walser
Ein Flugzeug über dem Haus
und andere Geschichten
120 Seiten
»Hier ist Walser schon ganz er selbst, hier erfüllt er die Forderung, die der sehr alte Goethe einst an die jungen Dichter seiner Zeit gerichtet hat: ›Poetischer Gehalt aber ist Gehalt des eigenen Lebens‹.«   *Süddeutsche Zeitung*

st 613 Karin Struck
Trennung
Erzählung
150 Seiten
»Karin Struck ist in allem, was sie schreibt, intensiv. Sie fordert auf, fordert heraus. ... Auf der hilflos anmutenden Suche nach einer Utopie ist eigentlich ein jeder bei Karin Struck begriffen. Ihre Vehemenz fordert das, und ihre Personen haben sich dieser Absicht einzufügen. So entsteht bei ihr Spannung bis zum Zerreißen, bis zur Hingabe, Selbtsaufgabe oder Widerstandleisten, bis zum ohnmächtigen Erleiden.«   *Karl Krolow*

st 614 Walker Percy
Liebe in Ruinen
Die Abenteuer eines schlechten Katholiken kurz vor dem
Ende der Welt
Aus dem Amerikanischen von Hanna Muschg
442 Seiten
Der Held, Thomas More, Arzt und Alkoholiker, der sich
als schlechten Katholiken bezeichnet, lebt mit drei schönen
Frauen in der Vorstadt Paradise, wo er das Ende der
Welt erwartet. Als später Descartes erfand er den Lapso-
meter, mit dessen Hilfe er den jeweiligen Grad der Entfremdung des Menschen von sich selbst feststellt. Nur
eines gelang ihm bisher nicht: das Instrument mit seinen
diagnostischen Fähigkeiten für Heilzwecke zu vervoll-
kommnen.

st 615 Mircea Eliade
Bei den Zigeunerinnen
Phantastische Geschichten
Aus dem Rumänischen von Edith Silbermann
342 Seiten
»Was bei Eliade so anzieht, so entzückt, ist eine Heiter-
keit, die hoffnungsvolle Ruhe, die jede außergewöhnliche,
eigentlich Furcht erregende Begebenheit nicht ins Gräß-
liche wendet, sondern ins Helle, recht eigentlich Beruhigte.« *Süddeutsche Zeitung*

st 616 Kasimir Edschmid
Geord Büchner. Eine deutsche Revolution
544 Seiten
Roman
»... ein Meisterwerk der deutschen Literatur im zwanzig-
sten Jahrhundert, einer der großen historischen Romane
Deutschlands, ... der die politische Tragik, die ewig ge-
scheiterten Kämpfe um die Wiederherstellung der Freiheit und der Menschenwürde des armen, ewig geschla-
genen deutschen Volkes beschreibt, das durch die Jahrhunderte so töricht der tumbe Michel war, seine dümm-
sten Tyrannen auf den Thron zu heben und seine klüg-
sten Volksfreunde in den Staub zu treten oder ins Exil zu
schicken.« *Hermann Kesten*

st 618 Helm Stierlin
Eltern und Kinder
Das Drama der Trennung und Versöhnung im Jugend-
alter
Aus dem Englischen von Ellen Katharina Reinke und
Wolfgang Köberer
272 Seiten
Auch bei anscheinend radikalen Trennungen heranwach-
sender Kinder von ihren Eltern bleiben unsichtbare Bin-
dungen bis ans Lebensende weiterbestehen. Bindungen,
in die u. a. Gefühle der Dankbarkeit, Rache, Scham und
Schuld, der Verpflichtung und Beauftragung sowie ein
Verlangen nach Wiedergutmachung und nach vorent-
haltener Gerechtigkeit einfließen können.

st 619 Antike Geisteswelt
Eine Sammlung klassischer Texte
Auswahl und Einführungen von Walter Rüegg
694 Seiten
»Die vorliegende Auswahl bietet dem der Antike Ver-
trauten wenig bekannte Texte und neue Gesichtspunkte,
dem Leser, der erst beginnt, die Welt der Antike in seine
Bildung einzubeziehen, eine Grundlage, um mit der Antike vertraut zu werden: sie wird ihn einführen in die
gewaltigen Katakomben unserer geschichtlichen Existenz.«
helvetia archaeologica

st 628 Georg W. Alsheimer
Eine Reise nach Vietnam
224 Seiten
Alsheimer kehrt in seine »Wahlheimat« zurück. Die Nar-
ben des amerikanischen Alptraums sind noch allgegen-
wärtig. So gerät die Konfrontation des Damals mit dem
Heute zunächst zu einem Verfolgungswahn. Erst als er
durch das Vertrauen seiner Freunde das Damals mit dem
Heute verknüpfen kann, verwandeln sich in dieser Krise
seines politischen Credos die gläubigen Visionen in einen
gemäßigten, kritischen Optimismus. Den Prozeß, der zu
dieser Einsicht führte, protokolliert Alsheimer in diesem
Reisetagebuch. Alsheimers *Vietnamesische Lehrjahre* liegen
als st 73 vor.

Am Anfang die Trennung von einem Mann, am Ende die Übersiedlung aus dem ungebunden sich entfaltenden in ein geregeltes Arbeitsleben. Das Tagebuch erzählt die Geschichte zahlreicher Beziehungen zu Männern und Frauen. In dichtem Zusammenhang werden Erlebnisse, Geschichten, Beobachtungen notiert. Birgit Heiderichs Tagebuch ist reich an Apercus und an Reflexionen über Liebe, Sehnsucht, Trauer, Verzweiflung, über Frausein, Weiblichkeit, aber auch über gesellschaftliche Differenzen, es enthält Beschreibungen und Gedichte.

st 639 Herbert Gall
Deleatur
Notizen aus einem Betrieb
216 Seiten
Eine Druckerei gerät durch Modernisierung und Rationalisierung in eine Krise, der Besitzer versucht, durch Entlassungen und Verstärkung des Arbeitsdrucks ihrer Herr zu werden. Der Korrektor Herbert Gall, als empfindlicher Intellektueller in industrielle Arbeitsverhältnisse geraten, setzt sich durch das rückhaltlose, nämlich auch ihn selbst nicht schonende Aufschreiben gegen Leiden und Abstumpfung zur Wehr. »Der hier beschriebenen Arbeitsform . . . sei zum Schluß ein lateinisches Wörtchen gewidmet, ein Korrekturzeichen, mit dem Falsches markiert wird, das aus einem Text entfernt werden soll: *Deleatur* – sie möge zerstört werden.«

st 683 Marieluise Fleißer
Der Tiefseefisch
Text. Fragmente. Materialien
Herausgegeben von Wend Kässens und Michael Töteberg
188 Seiten
Der Tiefseefisch gibt ein satirisches Portrait von Bertolt Brecht als literarischem Bandenführer; zugleich ist das Stück ein Ehedrama: Fleißers Verbindung mit dem konservativen Publizisten Hellmut Draws-Tychsen. Dieser Band veröffentlicht erstmals die erhalten gebliebene erste Fassung des Stücks sowie Fragmente und Arbeitsnotizen. In einem Nachwort erläutern die Herausgeber den zeitgenössischen literarischen Kontext und geben Interpretationsansätze für die heutige Aktualität des Dramas.